Avant-propos

L'étude des films est une pratique désormais bien implantée dans les universités, et qui gagne rapidement les classes des lycées et collèges. L'analyse de films (ou de séquences) fait d'ailleurs l'objet d'épreuves d'examens et de concours. Un ouvrage récent *(L'analyse des films*, de Jacques Aumont et Michel Marie, Nathan, 1988) fait avec brio le point sur diverses approches possibles.

La ré-édition du présent livre, assorti de quelques corrections et ajouts, nous paraît opportune dans la mesure où nous y abordons l'étude des films par un biais bien particulier : celui de la comparaison-différenciation avec l'écrit.

L'importance numérique des adaptations ou transpositions d'œuvres littéraires à l'écran (grand ou petit) incite en effet à des démarches comparatives. Toutefois l'importation de termes cinématographiques dans l'étude des textes littéraires (telle description de Balzac est un « traveling », tel portrait de Stendhal un « gros plan ») relève de la métaphore (risquée), de même que la référence trop fréquente, dans le cadre d'une analyse filmique, à des notions venues de la critique ou de la théorie littéraire conduit à des approximations dommageables.

Notre propos est donc de tenter de différencier les récits écrits et les récits filmiques en les soumettant à l'épreuve de l'analyse comparée, mais aussi d'éprouver les qualités opératoires d'outils issus notamment de la sémiologie (du récit, de la littérature, du cinéma) et de la narratologie. Dans cette optique, nous privilégierons l'analyse d'exemples concrets.

3

Le corpus d'exemples

Nous nous sommes efforcés de limiter les références, les exemples, les textes analysés et de les choisir parmi les plus facilement accessibles. Il nous paraît important d'éviter les pièges de la cinéphilie : une pseudo-culture ambiante est actuellement diffusée par les media qui laissent entendre que tel film est « indispensable » ou qu'il « faut » (ou qu'on « doit ») avoir vu toutes les œuvres de tel réalisateur. Le film est imposé comme produit culturel nécessaire (« Quand on aime la vie, on va au cinéma », selon le fameux slogan), au même titre que, naguère, la littérature. Nous ne souhaitons pas participer à cette entreprise d'« anoblissement » du cinéma, mais plutôt substituer à l'érudition systématique, à la culture entendue comme accumulation d'informations, aux références cinéphiliques impliquant un bagage que seuls les intellectuels parisiens peuvent acquérir (les procédures de diffusion des films interdisent à un élève de province — sauf rares exceptions — de se constituer une « cinémathèque intérieure »), une sensibilisation à la représentation filmique, dans sa complexité et sa diversité.

La consultation de la table des matières indique que nous avons approfondi l'analyse de certains textes écrits ou filmiques sur lesquels nous revenons volontiers. Nos goûts personnels ont bien entendu influencé notre choix, mais aussi le caractère « exemplaire » de certaines œuvres (représentatives d'un mode de traitement relativement clair et net d'un aspect de la narrativité). Au lecteur de compléter, transposer, prolonger, détourner ce qui ne lui est que proposé.

Presque tous les récits écrits cités sont publiés en collection de poche. Les films ont fait l'objet d'une transcription écrite en continuité dialoguée ou d'une publication en continuité photographique ou, mieux encore, en super 8 mm ou en vidéo-cassette. Les transcriptions écrites sont évidemment un pis-aller, puisque ce sont en fait des récits écrits, mais elles constituent des instruments de travail précieux lorsqu'on les utilise en référence à une ou plusieurs visions du film. Chaque fois que cela est possible, nous conseillons donc de travailler sur une copie (Super 8 ou vidéo) *et* sur la transcription écrite.

Hypothèses de base

Nous partirons des travaux de Claude Bremond rassemblés dans *Logique du récit* (22). Selon Bremond, reprenant les hypothèses de Propp (86), la structure d'une histoire est « indépendante des techniques qui la prennent en charge », le récit « n'est communicable que sous condition d'être relayé par une technique de récit, celle-ci utilisant le système de signes qui lui est propre ». Ainsi les éléments du récit, que nous définirons plus loin, sont pris en charge par un medium particulier : écriture, dessin, film ou autre. A propos de cette prise en charge, Bremond ajoute : « Si le récit se visualise en devenant film, s'il se verbalise en devenant roman (...), ces transpositions n'affectent pas la structure du récit, dont les signifiants demeurent identiques dans chaque cas (des situations, des comportements, etc.). En revanche, si le langage verbal, l'image mobile (...) se « narrativisent », s'ils servent à raconter une histoire, ils doivent plier leur système d'expression à une structure temporelle, se donner un jeu d'articulations qui reproduise, phase après phase, une chronologie »*.

Il est possible de discuter les affirmations de Bremond et notamment de se demander s'il est pertinent de postuler l'existence de structures narratives antérieures à leur prise en charge par une technique. Le débat nous ramènerait à un problème de linguistique générale abordé par — entre autres — Emile Benveniste (17) : celui des rapports entre la pensée et la langue. Rappelons que Benveniste conclut à l'indépendance de la pensée par rapport aux structures linguistiques particulières (mais non par rapport à la langue), et au lien obligé entre la possibilité de la pensée et le maniement des signes de la langue. On peut penser de même en ce qui concerne les relations entre le récit et ses media : indépendance du récit par rapport aux techniques particulières, nécessité d'une technique qui actualise le récit.

Il nous paraît donc intéressant d'examiner comment l'écriture et le film actualisent le récit et se plient à ses nécessités. Chacune de ces techniques apporte une réponse spécifique aux problèmes de la prise en charge des divers éléments du récit. Analyser problèmes et réponses permettra d'approcher de façon systématique

---

* *Op. cit.*, pp. 12, 46, 47.

5

— et selon un parti pris déterminé — les deux moyens d'expression. Après avoir tenté la détermination des éléments constitutifs du récit, nous verrons comment le livre et le film utilisent leurs ressources d'ensemble et plient leurs espaces respectifs à la fonction narrative. Puis nous éclairerons plus particulièrement certains aspects du récit et leur actualisation dans et par l'écriture et le film : personnage, description, point de vue, temporalité.

Les références bibliographiques indiquées entre parenthèses sont rassemblées en fin de volume, et suivies d'un complément bibliographique.

Je remercie Marc Vernet dont les remarques m'ont permis de corriger des erreurs et de clarifier certains points.

PREMIÈRE PARTIE

Le récit, l'écriture, le film : généralités

I. LES ÉLÉMENTS CONSTITUTIFS DU RÉCIT

La lecture d'un récit implique, de la part du lecteur, un travail de déchiffrement, de reconnaissance particulier. Pour simplifier, disons qu'outre la saisie des informations communes à toute communication (écriture par exemple : mise en relation des mots et groupes de mots avec leurs référents extra-textuels, et entre eux), il faut opérer celle des éléments spécifiquement narratifs. Ainsi de la carafe dans *le Horla* de Maupassant : le mot renvoie à un objet usuel (reconnaissance par référence à l'extratextuel), se combine avec d'autres mots (« ma carafe était vide »), désigne un élément fonctionnel et systématique du récit (indice de la présence du Horla).

Reprenant la définition du récit de Gérard Genette (41), « représentation d'un événement ou d'une suite d'événements, réels ou fictifs, par le moyen du langage, et plus particulièrement du langage écrit »*, nous pouvons répertorier les éléments constitutifs du récit comme suit

— « événement ou suite d'événements », ceci implique
- des actions enchaînées,
- un (des) agent(s) et patient(s) (voir ch. 9),
- un cadre (lieux, objets, etc.) (voir ch. 8),
- une chronologie (voir ch. 11).

— « Représentation... par le moyen de langage », ceci implique un dispositif de représentation, à savoir
- un énonciateur du récit (narrateur), avoué ou dissimulé,
- une énonciation du récit (narration), plus ou moins marquée,
- un (ou des) point(s) de vue à partir duquel s'effectue la représentation (voir ch. 10),
- un destinataire (narrataire) du récit, spectateur de ladite représentation.

* *Op. cit.*, p. 49.

Si l'on se réfère à la définition du récit par Christian Metz comme « discours clos venant irréaliser une séquence temporelle d'événements » (68), définition plus générale (elle ne fait pas intervenir l'écrit), les choses ne sont pas en fait très différentes. La notion de « séquence temporelle d'événements » renvoie aux éléments ci-dessus répertoriés (actions enchaînées, agents, cadre, chronologie) ; le terme de « discours » peut être référé au dispositif de représentation et à ce qu'il implique : c'est précisément en tant que dispositif de représentation que le discours est irréalisant puisqu'il transforme la chose vécue (ou rêvée ou imaginée) en « chose racontée », donnant à percevoir (à lire), du narré (des événements qui ne se déroulent pas dans l'ici et maintenant, même s'ils sont racontés au présent). Toutefois la notion de discours permet de distinguer deux séries temporelles : celle des événements narrés et celle du discours narratif (voir 11.2.) ; la clôture indiquée par C. Metz est celle du discours — qui a toujours un commencement et une fin : tout roman, tout film a des limites matérielles — et non celle des événements — à la fin du récit la chaîne des événements peut être close ou non close (dénouements en « boucle » ou en « abyme », fins « ouvertes », etc.).

A titre d'exemple, examinons quelques paragraphes de *Une partie de Campagne* de Maupassant :

« A la fin, Mme Dufour se décida : « Oui, c'est bien, dit-elle ; et puis il y a de la vue ». La voiture entra dans un vaste terrain planté de grands arbres qui s'étendait derrière l'auberge et qui n'était séparé de la Seine que par le chemin de halage.

Alors on descendit. Le mari sauta le premier, puis ouvrit les bras pour recevoir sa femme. Le marchepied tenu par deux branches de fer, était très loin, de sorte que, pour l'atteindre, Mme Dufour dut laisser voir le bas d'une jambe dont la finesse primitive disparaissait à présent sous un envahissement de graisse tombant des cuisses.

M. Dufour, que la campagne émoustillait déjà, lui pinça vivement le mollet, puis, la prenant sous les bras, la déposa lourdement à terre, comme un énorme paquet.

Elle tapa avec la main sa robe de soie pour en faire tomber la poussière, puis regarda l'endroit où elle se trouvait.

C'était une femme de trente-six ans environ, forte en chair, épanouie et réjouissante à voir. Elle respirait avec peine, étran-

glée violemment par l'étreinte de son corset trop serré ; et la pression de cette machine rejetait jusque dans son double menton la masse fluctuante de sa poitrine surabondante ».

(Livre de poche, p. 187-188)

Ici la chronologie des événements est à peu près linéaire. L'enchaînement des actions se schématise aisément :

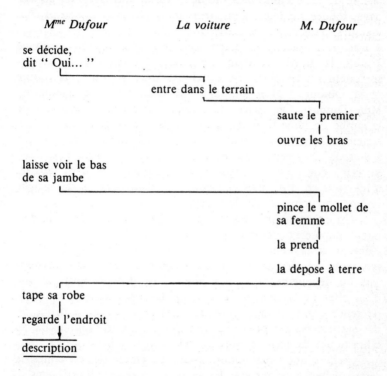

| *Mme Dufour* | *La voiture* | *M. Dufour* |

se décide,
dit " Oui... "

entre dans le terrain

saute le premier

ouvre les bras

laisse voir le bas
de sa jambe

pince le mollet de
sa femme

la prend

la dépose à terre

tape sa robe

regarde l'endroit

description

C'est à ce dessin, formé de la succession des verbes d'action, que se reconnaît le récit comme suite événementielle, marquée par ailleurs par les « alors... puis... ». Cependant cette suite n'est pas absolument linéaire, non plus qu'ininterrompue. Des éléments descriptifs arrêtent l'enchaînement (le terrain, le marche-pied, Mme Dufour) (voir ch. 8). La phrase « Alors on descendit » résume et anticipe ce qui la *suit :* descente de M. et Mme Dufour, de la jeune fille, du garçon et de la grand-mère — La phrase rapportée de Mme Dufour, entre guillemets, vérifie la

11

mention « se décida » ; les verbes « se décida » et « dit-elle » ne sont donc peut-être pas la marque d'une succession d'actions. On voit que le lecteur doit ici s'orienter du *narré* au *décrit* et au *dialogué,* en établissant les rapports logiques et chronologiques nécessaires à la compréhension de la page*.

Par ailleurs c'est la stabilité des objets textuels qui garantit la lecture du récit : fonctionnalité de la voiture, identité des personnages fondée sur leurs noms, leurs traits physiques et/ou psychologiques, leurs comportements (voir ch. 9).

Dans ce passage, le narrateur s'efface le plus possible. Il donne à voir la scène, centrant cependant l'attention du lecteur-spectateur sur les objets de son choix (Mme Dufour → la voiture → M. Dufour → Mme Dufour → M. Dufour et Mme Dufour → Mme Dufour). Omniscient (il connaît « la finesse primitive » de la jambe de Mme Dufour, l'émoi de M. Dufour), il marque discrètement sa présence, complice de celle du lecteur (« réjouissante à voir »). Dans cette mise en perspective se reconnaît également le récit : elle n'est pas réalisée de la même façon dans tous les récits (voir ch. 10), mais elle doit être, dans tous les cas, perçue (même obscurément) par le lecteur.

S'il n'intervient pas toujours en personne dans le récit, le narrateur impose sa présence par le choix des éléments placés sur le « devant de la scène » et par les fonctions ou les rôles qu'il leur fait tenir. Le récit est en effet une suite d'événements orientés, vers un dénouement (ou une absence de dénouement), en vue d'un effet (morcellement, étirement, surprise, suspens, etc.), en référence à une logique (celle des faits de la vie quotidienne ou des événements exceptionnels, celle aussi bien de l'insolite ou du fantastique). Le récit est organisé selon une double exigence :

— celle d'une structuration interne cohérente (les modalités de cette cohérence variant avec les auteurs, les genres, les périodes),

— celle de la (re)présentation à un narrataire : le récit est donné à lire (écriture), donné à voir-entendre (film).

Parfois la complicité entre l'auteur et le lecteur se lit dans le jeu narratif, lorsque ses règles sont avouées du premier, acceptées

---

*Autre exemple : « ... que la campagne émoustillait déjà » explique le geste de M. Dufour (pincer le mollet), mais paraît s'inscrire comme simultané à ce geste (remplacer par « avait émoustillé »).

comme telles, dans leur aspect arbitraire, conventionnel, voire gratuit par le second. En gros ces règles apparaissent

— dans le caractère fortement codé de certains genres (roman policier, roman d'aventure, roman d'amour), le retour d'une structure fixe et le respect de certaines règles (sauvegarde du héros dans le roman d'aventure, par exemple).

— dans les intrusions de l'auteur, qui vient justifier, juger ou railler son propre texte, allant parfois jusqu'à mettre en scène un lecteur fictif pour le prendre à parti : voir Diderot, *Jacques le Fataliste*, Lautréamont, *Les chants de Maldoror*, Céline, *Mort à crédit*, etc.

— dans l'accentuation, la parodie, la transgression partielle ou totale de ces règles : Lautréamont encore (épopée, roman noir, récit hugolien), Queneau (*Le chiendent* et le roman philosophique), B. Vian (*Et on tuera tous les affreux*, parodie des romans de série noire américains), Robbe-Grillet (*Les Gommes*, roman policier où l'énigme porte sur l'énigme même), etc.

— dans le jeu verbal ou formel, qui déborde et fait exploser l'intrigue : *Finnegans Wake* de Joyce, *Zazie dans le métro* de Queneau, *La disparition* de Perec, *Locus Solus* de Roussel, romans de San-Antonio, etc. (voir ch. 13).

Des effets de reconnaissance et/ou de mise à distance se produisent alors, constitutifs de la lecture même.

Mais le narrateur a besoin d'un support pour communiquer son récit. C'est ce support que nous proposons d'examiner en premier lieu, mi pour interroger ses ressources et ses modes de fonctionnement, mi pour atténuer le caractère d'évidence qu'il a souvent pour nous. Le livre et le film sont si bien intégrés à notre réalité quotidienne qu'on ne songe pas à les considérer avec quelque recul, en tant qu'objets d'étude, en tant qu'instruments à « manipuler », puisqu'aussi bien ils peuvent être manipulateurs.

Ce sont aussi les rapports de ces supports aux éléments et articulations du récit que nous tenterons d'approcher pour cerner les processus de « narrativisation » de l'écrit et du film.

2. PRÉLUDE COMMUN : LE TITRE

Récit écrit et récit filmique portent toujours un titre. L'anonymat ou la marque collective remplacent parfois le nom de
l'auteur, le récit demeure nommé-désigné d'un titre qui a plusieurs fonctions :

— il « appelle » le lecteur, par des procédés rhétoriques divers
(fonction conative, selon la classification des fonctions du langage
de Jackobson (53), fonction commerciale aussi,..) ;

— il renvoie à des réalités ou des représentations extratextuel-
les (fonction référentielle) ;

— il anticipe sur le texte, amorce et promet le récit, donne
des informations et déclenche des interrogations : le récit devra
en principe combler celles-ci, confirmer celles-là (fonction référentielle encore : mais les référents mis en cause sont textuels) ;

— il produit un effet d'ordre esthétique ou poétique par le
seul jeu de ses constituants verbaux : on parle volontiers d'un
« beau titre ».

Il est donc intéressant d'aborder le titre dans ses rapports

— avec le lecteur (que dit, que rappelle, que suggère le titre
au lecteur ?),

— avec le texte d'ensemble du récit,

— avec les autres titres de récits de la même époque, du
même auteur, du même genre ou de genre proche ou opposé,

— avec lui-même : quel degré d'autonomie un titre peut-il
avoir ? qu'est-ce qui en fait un « beau » titre (effets de sonorité,
sémantisme, figures, connotations ?...) ? quelle vie propre
connaît-il (transformations et utilisations faites par les lecteurs :
coupes, abréviations, ajouts, calembours, références ; nombre de
titres sont utilisés dans la conversation courante — parce qu'ils
correspondent à une mode ou à quelque événement marquant —
en dehors de la référence au récit qu'ils désignent).

Le titre, d'une certaine manière, programme la lecture par les
effets qu'il produit (pathétique, romanesque, ironique, exotique,
etc.), les informations qu'il livre concernant le contenu ou le
type du récit (voir sur ce dernier point les titres comportant des
termes comme *chronique, aventure, odyssée, tribulations, vie
de...*). Les mots du titre en appellent d'autres, par associations :

une histoire, déjà, se constitue, que la lecture du texte confirmera, infirmera, complétera, etc.

Enfin, la forme linguistique du titre est, elle aussi, signifiante : nombre de mots (titres longs/titres courts), nature des mots et relations syntaxiques (subst. + adj., subst. + verbe, phrase complète ou nominale ou amorcée, nom propre, impératif...), emploi de figures de rhétorique, métrique, références culturelles, citations, parodies.

Titres de romans et titres de films narratifs ont beaucoup de points communs. Cependant, si l'on écarte les titres repris d'œuvres littéraires, les titres de films présentent peut-être des caractéristiques spécifiques dues au mode de production et de lancement du « produit » et à l'existence de genres plus spécifiquement cinématographiques. Le titre de film joue un rôle essentiel avant la projection (annonces de presse, affiches). Pendant la projection, il n'est plus qu'une image parmi d'autres et qui n'apparaît qu'une seule fois (alors que le titre d'un roman « court » généralement tout au long des pages du livre). Par ailleurs, la substance verbale du titre diffère de l'ensemble du film : les jeux sur les titres sont généralement moins sophistiqués au cinéma qu'en littérature.

Pour travailler de manière plus approfondie la rhétorique des titres de films (étude de la métrique, de la syntaxe, du vocabulaire, des effets divers : titres longs/titres courts, jeux sur les signifiants, métonymies et métaphores, hyperboles, allusions littéraires ou cinématographiques, parodies d'autres titres, etc.) on se référera au très bon article du groupe μ (45) paru dans le n° 16 de la revue *Communications*. Voir également Duchet (34) et Hoeck (49).

Les rapports du titre à l'image jouent sur l'affiche, comme ils jouent sur la jaquette du livre lorsque celle-ci est illustrée. Mais en ce domaine nous ne sommes ni du côté du spécifiquement littéraire, ni du côté du spécifiquement cinématographique. La sémiologie de l'image fixe nous aiderait, mais nous avons choisi de limiter notre champ d'investigations. Contentons-nous de renvoyer le lecteur aux travaux de Guy Gauthier (38) et Geneviève Idt (51).

La relation du titre au récit écrit se vérifie dans la lecture.

Les rapports peuvent être

• non déceptifs : le récit répond aux questions inaugurées par le titre (exemple : *L'aiguille creuse* : la lecture du roman nous renseigne sur ce qu'est cette aiguille et sur ce qui s'y passe) ;

• déceptifs : *L'automne à Pékin*, de Boris Vian (titre canularesque) ;

• ambigus : *Le rouge et le noir* de Stendhal.

Si le titre apporte des informations sur le récit, le récit parfois, en retour, informe, fait vaciller le sens du titre (*La jalousie*, de Robbe-Grillet).

Enfin le titre peut être métaphorique et renvoyer, comme tel, à un élément du récit (personnage : *Le lys dans la vallée*), au contenu d'ensemble (*Germinal*), au récit dans son rapport à d'autres récits (*Ulysse* de Joyce), à l'écriture narrative même (*Histoire*), par l'intermédiaire parfois de jeux sur les signifiants (*La bataille de Pharsale* peut être lu comme « La bataille de la phrase »).

Mais on peut aussi se demander ce que le titre sollicite chez le lecteur, (goût de l'évasion, de l'aventure, de la violence, érotisme, sadisme, curiosité scientifique, etc.). Exemples : *Les Mandarins* (de Beauvoir), *La Nuit de Londres* (H. Thomas), *La route des Flandres* (Cl. Simon), *Les Météores* (M. Tournier), *Angélique marquise des Anges* (A. et S. Golon), *La maison des sept jeunes filles* (Simenon), *La Taupe* (J. Le Carré) ; *Les Anges du Péché* (R. Bresson), *L'Auberge Rouge* (Autant-Lara), *Pacific Express* (C.B. De Mille), *Senso* (L. Visconti)...

Ou encore si les auteurs ou les genres ont recours à des titres de prédilection, des procédés rhétoriques récurrents.
Exemples :

1/ titres de :

Françoise Sagan	ou	Maurice Leblanc
Bonjour tristesse		*L'aiguille creuse*
Un certain sourire		*Le bouchon de cristal*
Dans un mois dans un an		*813*
Aimez-vous Brahms		*Les huits coups de l'horloge*
Les merveilleux nuages		*La demoiselle aux yeux verts*
etc.		*L'île aux trente cercueils*
		Les dents du tigre
		etc.

2/ titres :

— prélevés dans un genre spécifiquement cinématographique :
• comédie musicale : *42ᵉ rue, Top hat, Swing time, Le chant du Missouri, Le pirate, Un Américain à Paris, Tous en scène, Un jour à New-York, Chantons sous la pluie, Les sept femmes de Barberousse, Entrons dans la danse, La jolie fermière, Ma sœur est du tonnerre, Une étoile est née, Les girls, etc.*
• karaté : *La colère du dragon, Big Boss, La ceinture noire, Kung Fu le Magnifique, Opération dragon, Le requin du karaté, Shao Lung le vengeur chinois, Wang Yu et miss Karaté se déchaînent, etc.*

— empruntés à un même réalisateur :
• Sergio Leone : *Pour une poignée de dollars, Et pour quelques dollars de plus, Le bon, la brute et le truand, Il était une fois dans l'Ouest. Il était une fois la révolution.*
• Robert Altman : *MASH, Brewster Mc Cloud, Mc Cabe and Mrs Miller (John Mc Cabe), Images, The long good bye (Le privé), Thieves like us (Nous sommes tous des voleurs), California split, Nashville, Indians (Buffalo Bill et les Indiens), Three Women (Trois femmes). A Wedding (Un mariage).* (On appréciera les traductions et leur raisons d'être ou de ne pas être).

3. LES CONDITIONS MATÉRIELLES DE PERCEPTION DU RÉCIT

Il n'est pas indifférent de souligner les conditions matérielles de « lecture » des récits écrits et filmiques. Une analyse un peu fine de ces conditions devrait en effet conduire les lecteurs à renoncer à l'idée de « trahison » si fréquemment évoquée lorsque l'on compare des œuvres littéraires à leur(s) adaptation(s) cinématographique(s). Dès l'instant où l'on prend conscience des différences fondamentales dans le processus même de lecture des récits écrits et filmiques, l'idée de « fidélité » de « respect de », etc. paraît absurde.

Lectures

3.1. Lecture du récit écrit

Le récit écrit s'actualise en une (des) page(s), en un livre-objet qui s'offre aux maniements les plus divers. Le lecteur dispose du livre : cela signifie qu'il peut le prendre et s'en déprendre à sa guise. Le temps et le rythme de la lecture lui appartiennent, même si le romancier donne à son récit un rythme et une chronologie internes intrinsèques. De fait, la lecture du récit écrit invite à se confronter trois séries temporelles : le temps de l'histoire (ou temps diégétique), le temps de la narration, le temps de la lecture. Le rythme de la lecture peut bien entendu être induit par le découpage du romancier (par exemple : les chapitres) mais il ne l'est pas nécessairement (je peux interrompre ma lecture au milieu d'un paragraphe ou même d'une phrase). Par ailleurs le récit écrit autorise le retour en arrière, le bond en avant, le balayage de la page, la lecture diagonale, etc. Enfin le livre peut se lire en des lieux et des situations très divers. Ces considérations seraient banales si on les prenait vraiment en compte lors de l'analyse d'un récit. Songe-t-on à demander aux lecteurs comment ils ont lu tel ou tel récit : en combien d'étapes ? de quelles durées ? séparées par quels laps de temps ? en quel(s) lieu(x) ? à quel(s) moment(s) de la journée, de la semaine, de l'année ? quels passages ont-ils relu, « sauté », etc. ? quels autres textes ont-ils lus dans les intervalles de lecture du récit ?

Une description et une confrontation des habitudes de lecture peuvent permettre de dessiner des types de rapports à la lecture, et plus particulièrement à la lecture de récits, et aider à mettre en évidence ce qu'on cherche ou trouve dans les récits. Un même récit écrit « produit » alors des lectures structurellement très différentes.

Quelques exemples bien connus : on peut lire Balzac et Hugo en « sautant » les descriptions (c'est même un processus de réécriture qui a été utilisé naguère à l'usage des collections de romans pour jeunes) ; on peut lire Sade, à l'inverse, en ne s'attardant qu'aux descriptions érotiques et en « sautant » les dialogues philosophiques ; on peut lire un roman policier en commençant par le 1er et le dernier chapitre, etc. Enfin la lecture peut rester incomplète (lecture inachevée) ou fragmentaire (on a « parcouru » tout l'espace du livre en s'arrêtant çà et là) : ainsi de bien des lectures de *La recherche du temps perdu* de Proust ou de *l'Idiot de la famille* de Sartre (si l'on considère ce dernier texte comme un récit).

L'exploration des habitudes de lecture peut être exploitée selon deux perspectives :

— une perspective structurale : les notions de narré/décrit/dialogué apparaissent d'elles-mêmes, de même que celles d'enchaînement des actions, de fonctionnalité dans le récit*, etc. Dans cette perspective le lecteur, dans ses transgressions mêmes, est soumis à la structure narrative qui émerge de sa pratique ;

— la perspective du sujet : la lecture est une rencontre entre un sujet et un texte, une personne et un morceau de langage. L'écrit permet l'action du sujet sur le texte, nous l'avons vu. Son désir, son plaisir, son déplaisir peuvent s'exercer immédiatement sur les mots, les paragraphes, les pages, le livre entier. Devant le texte, d'où vient qu'on se passionne, qu'on « dévore », qu'on s'ennuie, qu'on renonce ou qu'on rejette ? Quels pouvoirs notre désir a-t-il devant le récit écrit ? Dans son étude *Sur la lecture* (10), Roland Barthes cite

la *Recherche du temps perdu*, où Proust nous montre le jeune Narrateur s'enfermant dans les cabinets de Combray pour lire (Pléiade, 1, 12) :

(Pour ne pas voir souffrir sa grand-mère à qui l'on dit, par plaisanterie, que son mari va boire du cognac)... « Je montais sangloter tout en haut de la maison à côté de la salle d'études, sous les toits, dans une petite pièce sentant l'iris, et que parfumait aussi un cassis sauvage poussé en dehors entre les pierres de la muraille et qui passait une branche de fleurs par la fenêtre entrouverte. Destinée à un usage plus spécial et plus vulgaire, cette pièce, d'où l'on voyait pendant le jour jusqu'au donjon de Roussainville-le-Pin, servit longtemps de refuge pour moi, sans doute parce qu'elle était la seule qu'il me fût permis de fermer à clef, à toutes celles de mes occupations qui réclamaient une inviolable solitude : la lecture, la rêverie, les larmes et la volupté ».

---

* La lecture « rapide » d'un roman policier s'accroche aux seuls éléments fonctionnels permettant de comprendre le fonctionnement d'ensemble du récit (par exemple, pour la résolution d'une énigme : comment cette énigme est-elle résolue ? en quoi est-elle soluble ?).

Barthes développe, à partir de ce texte, les relations du sujet-lecteur avec l'Imaginaire et le corps, puis distingue « trois types de plaisir de lire » :

— le plaisir aux mots, « pratique orale et sonore offerte à la pulsion »,

— plaisir à la narration, à ce qui tire « en avant le long du livre », plaisir du suspens, de l'attente et du dévoilement,

— plaisir à l'Ecriture, dans la mesure où la lecture « est conductrice du Désir d'écrire ».

Le lecteur d'un récit écrit « perçoit du langage » (65). Il fait jouer ces perceptions selon ses désirs, et il ne paraît pas inutile de remonter de ces jeux, de ces désirs réalisés à ce qui, dans le langage, les rend possibles : matérialité des signifiants sonores ou graphiques, polysémie, structures narratives, etc. Par ailleurs, comme le souligne justement Christian Metz, le langage a le pouvoir de « transporter avec lui le centre du monde en tout lieu où il a décidé de se proférer, et par conséquent d'instaurer un foyer de conscience en n'importe quel point de l'espace » (65). C'est de ce pouvoir que se jouera le lecteur, produisant, dans la confrontation du texte et de ses désirs, un récit nouveau.

3.2. *Lecture du récit filmique*

Alors que le livre ne donne à voir que du langage, le film sollicite de la part du spectateur, un déploiement perceptif considérable : il lui fait voir des images mouvantes, du langage écrit, entendre des bruits, des musiques, des paroles orales. A cet accroissement du nombre des perceptions correspondent des contraintes de perception beaucoup plus importantes que celles qui régissent la lecture d'un texte écrit : le film se déroule sous les yeux du spectateur en un temps dont il n'est pas maître, sans possibilité d'arrêt, de retour en arrière ou de fuite en avant. Le spectateur est assis dans une salle obscure*, face à un écran lumineux pour un temps délimité. Ses libertés sont restreintes, surtout si l'on songe au fait que la vision d'un film est non pas individuelle mais collective : faire du bruit, grimper vers l'écran** sont des opérations vite réprimées. Manipuler les ima-

---

* Nous définissons ici les conditions habituelles de consommation des films narratifs.
** Comme dans un épisode fameux des *Carabiniers* de Jean-Luc Godard.

ges, l'appareil de projection est impossible. Il faut tout voir et entendre ou bien sortir de la salle.

C'est le nombre et la nature (station assise immobile, focalisation sur l'écran lumineux, défilé de l'image) de ces contraintes ajoutées à la mobilisation perceptrice qui conduisent à assimiler fréquemment l'état du spectateur de cinéma à l'état hypnotique ou à l'état de rêveur. Ainsi Jacques B. Brunius écrit (24) :

La nuit de la salle équivaut pour la rétine à l'occlusion des paupières et, pour la pensée, à la nuit de l'inconscient — la foule qui vous entoure et vous isole, la musique délicieusement idiote, la raideur du cou nécessaire à l'orientation du regard, provoquent un état très voisin du demi-sommeil, — au mur s'inscrivent des lettres *Blanches sur fond noir,* dont le caractère hypnologique est évident. Au temps du film muet, par suite des distractions de l'opérateur, ces textes apparaissent parfois *à l'envers*, ce qui ajoute un appréciable rappel des images eidétiques. Enfin, lorsque s'allume l'éblouissant écran semblable à une fenêtre, la technique même du film évoque plus le rêve que la veille. Les images apparaissent et disparaissent en *fondu noir,* s'enchaînent l'une sur l'autre, la vision s'ouvre et se ferme en *iris noir,* les secrets se révèlent à travers un trou de serrure, une représentation mentale de serrure. La disposition des images de l'écran *dans le temps* est absolument analogue au *rangement* que peut opérer la pensée ou le rêve. Ni l'ordre chronologique, ni les valeurs relatives des durées, ne sont réels. Contrairement au théâtre, le film, comme la pensée, comme le rêve, choisit des gestes, les éloigne ou les grossit, en élimine d'autres, passe plusieurs heures, plusieurs siècles, plusieurs kilomètres en quelques secondes, accélère, ralentit, s'arrête, retourne en arrière. Il est impossible d'imaginer plus fidèle miroir de la représentation mentale.

Roland Barthes (7) et bien d'autres (69) soulignent à leur tour cette analogie entre le film, le rêve et la rêverie : fascination de l'écran lumineux (qui comble nos pulsions voyeuristes), impression de réalité (il y a une analogie entre l'image et ce qu'elle représente) et simultanément de non-réalité (l'image est là, mais c'est un leurre, c'est « juste une image » comme le dit Godard : non seulement l'image n'est pas l'objet représenté, mais sa « ressemblance » avec cet objet est codée, conditionnée par le respect de certaines normes de représentation). Cependant Christian Metz insiste sur le fait que le spectateur de cinéma est un homme éveillé qui regarde des images agencées par autre que lui : ses perceptions sont réelles et lui sont imposées (69). Ainsi, pour revenir à la question des transpositions littéraires, certaines déceptions proviennent souvent de la confrontation de ces images d'autrui avec celles qu'on s'était faites d'un personnage ou de l'ensemble d'un récit.

Le spectateur de cinéma est éveillé, mais sa vigilance est endormie par les conditions mêmes de projection des films. D'ailleurs le spectateur s'abandonne volontiers au film, il accepte tacitement de se conduire en spectateur (passif). C'est que cette situation donne l'illusion d'une toute puissance de perception : les films sont en effet organisés pour le spectateur (alors que le monde ne s'agence pas autour ou à partir de notre œil-percevant). Nick Browne (23) propose d'appeler *locus* cet « emplacement privilégié » du spectateur, « intégré à la structure de la présentation et qui permet au lecteur de suivre le déroulement dramatique comme une chaîne cohérente d'événements. En tant qu'il représente la "position abstraite" du spectateur, le locus ne possède pas un emplacement matériel concret : il suit l'action ». Le spectateur peut alors s'identifier émotionnellement à tel ou tel acteur (et ce n'est pas forcément le même pour un même film) et, simultanément, s'identifier au rôle de spectateur (l'émotion se vit dans la sécurité...).

La représentation filmique, dans le cinéma narratif, s'organise en fonction de la place du spectateur* qui occupe alors, provisoirement, le centre de l'univers (fictionnel/« fictionné »). Le plaisir au récit filmique est celui d'une illusion de maîtrise, de compréhension du monde perçu (surtout si celui-ci a été élaboré selon les codes les plus « reçus »). Ce monde est fait pour moi, ma place y est clairement assignée, je comprends tout.

On a vu que le récit écrit implique une confrontation entre le sujet lecteur et le langage, confrontation déclenchant les jeux de l'imaginaire, du verbe ou de l'écriture.

Cependant la notion de code, ou encore celle de stéréotype ou de cliché (narratifs), invite à nuancer cette idée. Le plaisir de la

---

* Système hérité du Quattrocento italien : voir, à ce sujet, (12) et (33).

reconnaissance du code (selon Barthes, dans *Le plaisir du texte*, le plaisir est dans la reconnaissance du code, la consommation sereine d'un texte et d'une culture que l'on maîtrise**) se vit aussi bien au cinéma qu'à la lecture d'un récit écrit. Un lecteur peut être aussi passif qu'un spectateur. Il est donc intéressant d'explorer les réactions, sentiments et ressentiments éprouvés à la lecture d'un récit pour observer s'ils s'originent d'un certain type de rapport (euphorique/dysphorique, déceptif, etc.) au texte écrit ou filmique.

4. LE RÉCIT-EN-LIVRE

Le récit écrit s'inscrit dans un espace variable : celui de la page (de quotidien, de magazine), celui du livre le plus souvent. Avant sa publication en volume, le récit se scinde parfois en épisodes : il prend alors forme de feuilleton. Ce récit-en-page, récit-en-feuilleton, récit-en-livre peut être considéré comme un objet dont l'aspect général, extérieur, superficiel « informe » déjà et le lecteur et le récit. C'est une double détermination qui régit l'aspect du livre : narrative et commerciale, les « signes extérieurs de narrativité » garantissant (dans une certaine mesure) la bonne commercialisation du livre et la mise en valeur commerciale (jaquette, publicité, distribution) assurant la diffusion du récit. C'est aux diverses formes et fonctions des signes extérieurs que nous nous intéresserons essentiellement.

Le récit est généralement découpé en parties et, éventuellement, sous-parties qui portent des noms divers (« livre », « partie », « époque », « chapitre ») ou sont simplement numérotées. En fait la division en chapitres n'est pas une constante du récit (voir *Le lys dans la vallée*, de Balzac, *Dans le labyrinthe* de Robbe-Grillet). En outre les chapitres peuvent avoir un titre ou

---

** « Texte de plaisir : celui qui contente, emplit, donne de l'euphorie ; celui qui vient de la culture, ne rompt pas avec elle, est lié à une pratique confortable de la lecture. Texte de jouissance : celui qui met en état de perte, celui qui déconforte (peut-être jusqu'à un certain ennui), fait vaciller les assises historiques, culturelles, psychologiques, du lecteur, la consistance de ses goûts, de ses valeurs et de ses souvenirs, met en crise son rapport au langage » (9).

non. Les titres de chapitre ont les mêmes fonctions que le titre du roman. Cependant les romanciers y donnent plus volontiers libre-cours à leur fantaisie ou à leur astuce, développant les titres, ménageant des oppositions ou ruptures d'un titre à l'autre, multipliant les énigmes, dessinant le profil du récit.

Exemples extraits de la table des matières de *Quatre-vingt-treize*, de V. Hugo, à lire horizontalement et verticalement :

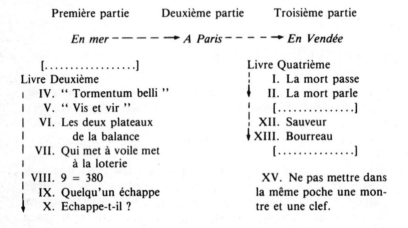

Première partie   Deuxième partie   Troisième partie

En mer – – – → *A Paris* – – – → *En Vendée*

[.................]
Livre Deuxième
  IV. " Tormentum belli "
  V. " Vis et vir "
  VI. Les deux plateaux
     de la balance
  VII. Qui met à voile met
     à la loterie
 VIII. 9 = 380
  IX. Quelqu'un échappe
  X. Echappe-t-il ?

Livre Quatrième
  I. La mort passe
  II. La mort parle
  [..............]
XII. Sauveur
XIII. Bourreau
  [..............]

  XV. Ne pas mettre dans la même poche une montre et une clef.

Autre exemple extrait de la *Comtesse de Cagliostro*, de Maurice Leblanc :

  I. Arsène Lupin a vingt ans
  II. Joséphine Balsamo, née en 1788...

Les titres résument parfois de façon saisissante l'ensemble de l'intrigue :
La peau de chagrin de Balzac
  Première partie *Le talisman*
  Deuxième partie *La femme sans cœur*
  Troisième partie *L'agonie*

Dans tous les cas, les chapitres découpent le récit, tranchant dans la continuité narrative et il est intéressant d'étudier la place et la fonction de ces moments d'interruption, de ces « blancs » dessinés dans l'espace du livre, parfois correspondant à des blancs dans le récit (Exemple : l'ellipse séparant les deux parties *de Mont-Oriol*, de Maupassant).

L'espace du livre se structure aussi de la répartition des paragraphes, de l'alternance de blocs compacts et de passages aérés. Les passages du narré au dialogué se voient avant même de se lire (c'est ainsi qu'on peut « sauter » des descriptions). Blocs Balzaciens, pages claires de Hugo, longs paragraphes de *A la recherche du temps perdu* (Proust), petits paragraphes espacés de *La jalousie* (Robbe-Grillet).

L'image parfois fait irruption, simple illustration rapportée, due à l'éditeur, substitut, voulu par l'auteur, de la description (*Nadja*, de Breton), dessin produit par les lignes mêmes du livre, sorte de récit-calligramme (Butor).

Le récit-en-livre est souvent très proche du récit-en-feuilleton : le découpage feuilletonesque destiné à l'enchaînement des péripéties, fondé soit sur l'arrêt et la reprise des actions cardinales, soit sur le passage d'un ensemble à un autre, a longtemps imposé sa structuration. Il est peu de romanciers en somme qui, écrivant un livre, travaillent directement son espace comme un espace spécifique. C'est donc, dans la plupart des cas, l'Intrigue et ses articulations qui découpent le récit-en-livre. Des romanciers ont cependant effectué quelques essais de structuration plus complexe de l'espace livresque : voir Aragon (*Théâtre/Roman*), Butor, Le Clezio, Sterne (*Tristram Shandy*), Tournier (*Vendredi ou les limbes du Pacifique*), etc.

Il est des formes particulières de récits qui dessinent un espace différent : journal intime (*Le Horla* de Maupassant, *Journal d'un curé de campagne* de Bernanos, *L'emploi du temps* de Butor), romans par lettres (*Les liaisons dangereuses* de Laclos), romans « unanimistes », « polyphoniques », etc. (*Manhattan tranfer*, de Dos Passos, *Le sursis* de Sartre). Il est alors éclairant de « mettre à plat » cet espace, de mettre en évidence le « montage » des textes (journées, lettres, séquences, etc.).

A titre d'exemple : *Le Horla* de Maupassant. La version proposée par le livre de poche est la seconde version (1886). Le tome II de l'édition Albin Michel des *Contes et Nouvelles* de Maupassant permet d'avoir accès à la première (Octobre 1886). La comparaison des deux indique un changement de technique narrative conduisant à des structurations de l'espace tout à fait différentes. La première version est le récit à la première personne de l'homme « possédé » par le Horla, récit qui s'adresse à des savants rassemblés par un médecin, récit « encadré » donc par une introduction et une conclusion à la troisième personne (« Le docteur Marrande (...) avait prié... » → « le docteur Marrande se leva et murmura... »). Les passages du récit encadrant au récit encadré sont marqués, dans l'édition Albin Michel, par un blanc. La seconde version est un journal intime ou un extrait de journal intime (le texte débute et se clôt par une ligne en pointillé). L'espace textuel est donc scandé par la mention des dates. Le relevé des repères chronologiques montre que les blancs ont des valeurs variables : continuité du 2 au 6 juillet, interruptions de l'écriture du journal entre le 3 juin et le 2 juillet, le 6 et le 10 juillet, le 21 août et le 10 septembre (entre autres), répétition du 19 août. Il est intéressant d'étudier ces alternances et d'observer comment le texte ménage des attentes, retarde les informations, les livre, ou les omet. L'espace textuel n'est pas sans analogie avec l'espace fictif dans lequel circule le narrateur (maison, jardin, rivière, campagne normande, Mont-Saint-Michel, Paris). La comparaison avec un vrai journal intime (celui d'Amiel, par exemple, dont l'année 1857 a été publiée dans la collection 10-18) montre que les impératifs du récit (apporter les informations nécessaires, ménager l'intérêt, faire monter l'angoisse) structurent l'espace de ce journal fictif. Il y a là plusieurs directions de recherche qui tendent toutes à prouver l'influence surdéterminante de la narration sur l'organisation de l'espace livresque.

D'autres éléments viennent parfois habiter l'espace du récit-en-livre : préface, post-face, avant-propos, avertissement, notes, etc. Laissant de côté ce qui ne vient pas de la main de l'auteur du récit (mais qui ne laisse pas d'influencer la lecture), nous insisterons plutôt sur les ajouts au récit parce qu'ils invitent soit à une valorisation du texte, qu'ils authentifient, soit à une réévaluation, à une mise à distance et de ce fait, à une prise de conscience de l'espace textuel et livresque. Pour le premier cas, on peut citer *Manon Lescaut*. Pour le second,

a. Les jeux subtils entre « l'Avertissement de l'Editeur », la « Préface du rédacteur » et les notes dans *Les liaisons dangereuses* de Laclos : le premier texte affirme l'inauthenticité des lettres, mais en s'appuyant sur des arguments moraux ironiquement avancés par Laclos ; le second authentifie les lettres et limite le rôle du « rédacteur » à celui d'ordonnateur, tout en vantant les mérites du texte (variété des styles, utilité de l'ouvrage) ; les notes enfin indiquent la présence d'une voie narratrice qui commente (lettres II, XLVI, etc.), précise mots et citations (LXXXV, CVII, CX, CXLVI), donne des indications de lecture (CXIII, CXXV, CXXXVIII), informe sur les lettres (CLXIX, CLXXV). Dans leur mise en relation avec les lettres mêmes, ces textes instaurent une lecture problématique, fondée sur le doute, génératrice de mouvements (vérifications, retours en arrière, comparaisons, etc.) et de réflexion. Le texte des *Liaisons dangereuses* pose un autre problème concernant l'organisation de l'espace : certaines éditions (Livre de poche) présentent une division en quatre parties (commençant aux lettres I, LI, LXXXVIII et CXXV), d'autres (Garnier) en deux parties (la seconde partie débute avec la lettre LXXI). Est-ce, dans les deux cas, le même roman ?

b. *Moravagine* de Blaise Cendrars comporte, outre le récit même (voir son découpage), une « préface » et des textes annexes : « Manuscrits de Moravagine », « Portrait de Moravagine », « Pro Domo », « Post-face », « Bibliographie de Moravagine ». La lecture de ces textes montre un bel exemple d'utilisation de l'espace du livre pour un va-et-vient de l'authentification à la démythification du récit. C'est bien, en fin de compte, le livre qui triomphe, et le plaisir qu'on trouve à non seulement le lire mais aussi le parcourir, au sens plein du terme.

Pour d'autres regards sur le livre-objet et l'espace du livre, voir (26), (51) et (98).

5. LE RÉCIT-EN-FILM

Souvent influencé par, ou dépendant de la littérature (théâtre, roman), le cinéma reproduit certains traits caractéristiques du récit écrit. Nous avons déjà évoqué les titres (voir 2.) La division en parties ou chapitres apparaît dans de nombreux films :

— films à épisodes : *Fantômas*, *Judex*, de Louis Feuillade ou, plus près de nous, *Le tigre du Bengale* et *le Tombeau hindou* de Fritz Lang, *Les Emigrants* et *Le Nouveau Monde* de Jan Troell,

— films de longue durée, scindés en deux parties pour des raisons commerciales : *1900* de B. Bertolucci. *Jean de Florette* et *Manon des Sources* de C. Berri.

— films volontairement découpés en chapitres, en référence au cinéma muet, au théâtre, ou à la littérature : *Vivre sa vie* de J.L. Godard, film en douze tableaux (I *Un bistrot. Nana veut abandonner Paul. L'appareil à sous.* II *Le magasin de disques. Deux mille francs. Nana vit sa vie.* etc. : voir Avant-Scène n° 19). Certains « scripts » mentionnent des titres de chapitre qui ne figurent pas sur l'écran : ainsi de *Fellini Roma* (Avant-Scène n° 129) : « Rome dans les souvenirs de province », « L'arrivée à Rome », « Le périphérique », « Villa Borghése », etc.

Cependant l'effet produit par ces divisions est toujours de rupture, en particulier dans les films parlants (dans les films muets, les titres de chapitre s'intégraient aux intertitres). C'est que l'espace filmique a ses caractéristiques propres, bien différentes de celles du livre, et la reconnaissance de cet espace par le spectateur implique un travail complexe.

Il faudrait évoquer aussi l'influence des récits populaires en images : vie des saints, images d'Epinal, récits de forains (voir l'ouverture de l'*Opéra de Quat'Sous* de Pabst). D'ailleurs les films muets étaient commentés par un bonimenteur, s'apparentant à cette dernière forme de récit. La coexistence, l'alternance images/mots (écrits et parlés) induisaient un va-et-vient de l'attention, de la perception, une accommodation toujours à refaire aux différents supports du récit, une distance à l'égard de la diégèse au profit de ses formes et de son sens (apologétique, moral, etc.). Le cinéma parlant s'est efforcé de structurer un espace plus continu, une sorte de flux audio-visuel dans lequel les divisions évoquées ci-dessus produisent des effets de rupture.

5.1. Lecture du film

« Lire » un film, c'est percevoir
• de la langue écrite (générique, cartons, intertitres, fragments de lettres, journaux, etc.),
• de la langue parlée (dialogue), y compris dans ses aspects supra-segmentaux (intonation, accentuation, intensité, etc.),

- des signes gestuels (mimiques, gestes, pantomimes),
- des images, dans leur contenu (décor, aspect physique des personnages, etc.), dans leur échelle (gros-plan, plan d'ensemble), dans leur mouvement (mouvements des personnages dans l'image, mouvements d'appareil, combinaisons diverses), dans leur succession (montage « cut », alterné, parallèle, etc.),
- des sons : bruits et musiques,

et les relations de ces éléments entre eux et avec les articulations du récit.

Ces perceptions multiples et complexes se font « naturellement » : l'apprentissage de la lecture des films est empirique. Il peut être révélateur de répertorier, dans les premières minutes d'un film, les éléments appartenant aux différents codes ci-dessus, et d'étudier leur combinaison et le rôle qu'ils jouent par rapport à l'exposé des événements ou à la présentation des personnages.

Exemple : *La règle du jeu* de Renoir, plans 1 à 9 (« L'Avant-Scène », n° 52, p. 16-17).

Le plan 1 a été précédé du générique.

A la suite du générique, passent deux cartons dont le premier a légèrement été modifié (texte entre parenthèses) en 1959.

Ce divertissement (dont l'action se situe à la veille de la guerre de 1939) n'a pas la prétention d'être une étude de mœurs. Les personnages qu'il présente sont purement imaginaires.

Deuxième carton :

« Cœurs sensibles, cœurs fidèles,
Qui blâmez l'amour léger,
Cessez vos plaintes cruelles,
Est-ce un crime de changer ?

Si l'amour porte des ailes,
N'est-ce pas pour voltiger ?
N'est-ce pas pour voltiger ?
N'est-ce pas pour voltiger ?
Beaumarchais
Le Mariage de Figaro
Acte IV, scène X

Fondu au noir.

AÉRODROME DU BOURGET

Plan 1 - Images : 1.053 *

La caméra cadre (plan américain en légère contre-plongée) l'ingénieur du son de Radio-Cité installé dans le camion d'enregistrement et suit (en descendant par travelling arrière et légère plongée) le déroulement du fil, bobiné sur un treuil qui conduit

---

* Au début de chaque plan, nous indiquons son numéro d'ordre ainsi que le nombre d'images. Par la suite lire ainsi en abréviation : P. 1 - Im. 1.053.

vers une speakerine (travelling latéral gauche-droite) fendant la foule bruyante en plan rapproché.

Speakerine, (Lise Elina). Radio-Cité vous parle. Il est exactement vingt-deux heures... dix heures... Nous venons d'arriver sur le terrain de l'aérodrome du Bourget où nous essayons de nous frayer un passage dans la foule venue pour ac... pour accueillir... Pardon !... le grand aviateur André Jurieu... oui, André Jurieu qui vient de réaliser une performance étonnante : il a traversé l'Atlantique en vingt-trois heures... Performance qui n'a d'égale, mes chers audi... Pardon !... Attention au fil !... performance qui n'a d'égale, mes chers auditeurs, que celle réalisée, il y a une douzaine d'années par... par Charles Lindberg.

Cris de la foule. Le voilà !... Hourrah !... Le voilà...

Speakerine, continuant d'avancer et dont la voix est partiellement couverte par les cris de la foule,... Mais voici qu'un remous se produit dans la foule...

P. 2 - Im. 86

Plan général (en contreplongée) dirigé vers l'avion qui atterrit dans la demi-obscurité. Bruit du moteur.

P. 3 - Im. 780

Plan rapproché en légère plongée de quelques personnes près de la speakerine perdue dans la foule.

Speakerine. Enfin André Jurieu est arrivé à bon port. Il vient d'exécuter un magnifique atterrissage. Mais voici que la foule envahit le terrain et veut franchir les barrages des gardes mobiles. Je vais essayer d'en faire autant...

Sa voix se perd dans les cris d'enthousiasme de la foule qui en plan rapproché-taille* se précipite vers l'avion. Reprise du travelling latéral jusqu'à cadrer de face l'appareil qui s'est posé.

Voix des gardes mobiles. On ne passe pas ! C'est défendu. C'est défendu, Madame !...

Brouhaha et cris des spectateurs qui rompent le barrage.

P. 4 - Im. 874

Contreplongée sur Jurieu dans sa carlingue (plan rapproché-poitrine).

Voix dans la foule. Bravo, Jurieu !

D'autres voix. Bravo... Très bien ! Bravo !

La caméra cadre sa descente d'avion par travelling arrière en légère plongée. On l'aide à sortir de la carlingue sous les flashes des photographes. On l'embrasse. Il va vers la gauche alors qu'un officiel vient à sa rencontre et lui serre la main. Ils sont en plan américain large.

L'officiel. Le ministre n'a pas pu venir lui-même mais il me

---

* Précisons que le plan rapproché-taille est un cadrage pris au niveau de la ceinture et que le plan rapproché-poitrine est le cadrage au niveau des seins.

charge de vous dire toute son admiration et de vous transmettre ses chaleureuses félicitations !

Jurieu (Roland Toutain)... Ce n'est pas moi, vous savez, ... c'est le matériel !

L'officiel. Non, non, pas du tout. C'est un bel effort. Très bien !

Jurieu, apercevant Octave. Octave ! Ah ! Mon vieux Octave !

Octave (Jean Renoir). André !...

Ils s'embrassent. Flash des photographes.

P. 5 - Im. 882

Plan rapproché-taille des deux hommes qui s'embrassent. Ils sont vus de profil au milieu de la foule, en plongée. Octave est sur la droite.

Octave. Ah ! c'que j'suis content ! Oh ! pas d'ton raid, ... ça j'men fous !... mais d'te voir là ! Dis donc, c'est bien toi, au moins ?

Ils rient.

Jurieu. Dis donc, elle est là ?
Octave. Non !

Speakerine. Nous voici enfin auprès d'André Jurieu...

Elle est de face, entre eux deux. Ils ne font pas attention à elle.

Jurieu. Comment, elle n'est pas venue ?

Octave. Non !

Speakerine. ... qui ne va certainement pas refuser de dire quelques mots au micro de Radio-Cité.

Jurieu. Elle n'est pas venue ?

Octave. Elle a pas pu !

Speakerine. André Jurieu ?

Jurieu, par-dessus la tête de la speakerine. Tu sais qu'c'est à cause d'elle, ... c'est pour elle que j'ai fait ce raid !

Speakerine. Monsieur André Jurieu ?

Octave. Mais je l'sais bien !

La speakerine les sépare et vient se placer trois quarts dos à la caméra.

Speakerine. Pardon. Monsieur André Jurieu ? Écoutez, vous ne pouvez pas refuser de nous dire quelques mots. Dites quelque chose au micro, monsieur Jurieu.

Octave. Elle a pas pu venir !

Jurieu, trois quarts face vers la speakerine. Ecoutez, je n'sais pas, moi ! Ecoutez, qu'est-ce que vous voulez que je vous dise ?

Speakerine. Ecoutez, vous venez de faire un raid au-dessus de l'Atlantique. Vous étiez seul en avion pendant une journée. Vous avez bien quelque chose à nous dire. Trouvez quelque chose. Dites-leur n'importe quoi ! Qu'vous êtes content !

P. 6 - Im. 418

Alors que les bruits de la foule continuent, on cadre Jurieu de face en plan rapproché-poitrine, pris en légère plongée. Il parle au micro.

Jurieu. Je suis très malheureux. Je n'ai jamais été aussi déçu de ma vie. J'avais tenté cette aventure à cause d'une femme. Elle n'est même pas là pour m'attendre. Elle ne s'est même pas dérangée ! Si elle m'entend, je lui dis publiquement qu'elle est déloyale !

HÔTEL PARTICULIER DE LA CHESNAYE
CHAMBRE DE CHRISTINE — PREMIER ÉTAGE

P. 7 - Im. 471

Plan du récepteur de T.S.F. vu de dos, lampes visibles, diffusant le reportage. On perçoit la voix d'Octave.

Octave, off. André ! André !... Oh !... André !

Travelling vertical ascendant découvrant la chambre à coucher de Christine en légère plongée. Christine est en plan moyen alors que Lisette, sa cafémériste, s'occupe à ses pieds de sa robe du soir.

Speakerine, off. Le grand aviateur vient de fournir une... (Voix exprimant une certaine gêne.) ... une performance étonnante, mais il ne faut pas oublier qu'il a fourni un très gros effort, qu'il est très fatigué...

Christine (Nora Grégor). Donne-moi mon sac, Lisette !

Lisette va chercher le sac à main dans le fond de la pièce et revient alors que la radio continue.

Speakerine, off. ... et qu'il n'est pas tout à fait en état de parler devant le micro. Mais nous avons, tout à nos côtés, un ingénieur de chez Caudron...

Christine vient face à la caméra (plan rapproché-poitrine) et tourne nerveusement le bouton du poste de radio.

AÉRODROME DU BOURGET

P. 8 - Im. 377

L'ingénieur (en plan américain face au micro) se tient entre la speakerine et un spectateur (ils sont vus en plongée).

L'ingénieur. Eh bien, Mademoiselle, l'avion d'André Jurieu est un avion Caudron, strictement de série, avec un moteur Renault 200 CV. La place du deuxième pilote a été remplacée par un réservoir d'essence supplémentaire.

Speakerine. Merci beaucoup, Monsieur !

P. 9 - Im. 241

Jurieu (en plan moyen) est entre Octave et son mécanicien qui lui donnent le bras (légère plongée). Ensemble, ils viennent vers la caméra jusqu'en plan rapproché-taille.

Octave. ... T'es un héros, mais tu viens d'te conduire comme le dernier des gosses. Si Christine te ferme sa porte au nez, ben ! Tu l'auras pas volé !

Jurieu. J'oserai jamais plus me montrer devant elle !

Octave. Allez, viens t'coucher ! On parlera d'tout ça demain !

Amorce de sortie de champ sur la droite.

CHAMBRE DE CHRISTINE

P. 10 - Im. 828

On cadre de biais la table de toilette de Christine. Elle entre à droite, vient s'asseoir de trois quarts dos, en demandant.

Christine. Dis donc, Lisette, il

y a combien de temps que tu es mariée ?

Lisette (Paulette Dubost). Bientôt deux ans, Madame !

Découpage établi par Philippe Esnault d'après la version complète de 1959-65.

Le générique et les cartons sont accompagnés de musique. Un certain nombre d'informations et de références culturelles sont donc véhiculées, qui ouvrent le film, de façon d'ailleurs ambiguë (« divertissement », « amour léger », d'une part, référence à la guerre et à Beaumarchais d'autre part).

Des plans 1 à 9, des paroles sont prononcées par les divers personnages : il faut en saisir le sens, mais également la localisation (Plan 3 : les gardes mobiles, plan 7 : récepteur de T.S.F.). Mais le sens de certains mots est précisé ou complété par les images :
- plan 1 : « Le voilà » → plan 2, vers l'avion ;
- plan 4, sur André Jurieu, l'image du personnage qui n'avait encore qu'un nom ;
- surtout le plan 7, qui nous transporte en un autre lieu, nous permet de voir la femme évoquée aux plans 5 et 6 (dont le nom est donné au plan 9).

S'il est possible d'avancer que cette femme est bien celle dont Jurieu regrette l'absence, c'est parce que certains signes dans les images nous y invitent : montage alterné (pourquoi passer de la séquence Bourget à la séquence chambre de Christine pour revenir au Bourget ?), rôle de la radio (travelling sur le fil au plan 1, plan 6 sur le micro, plan 7 sur le récepteur après « Si elle m'entend, je lui dis... »), geste de Christine (elle tourne le bouton).

Par ailleurs les combinaisons et les relations images / dialogues permettent de suivre des discours qui s'entrecroisent :
— discours de la speakerine,
— discours sur l'exploit (l'Officiel, l'Ingénieur, Jurieu),
— discours sur Christine (Jurieu, Octave), ce dernier venant peu à peu recouvrir les autres — Le héros des airs devient un amoureux maladroit et déçu.

Dans ces quelques plans, d'autres éléments sont à percevoir fugitivement :
— aspects conventionnels de l'Officiel, et de l'Ingénieur, en accord avec leurs paroles de circonstance,

— mimiques de la speakerine s'efforçant de faire son travail, puis de réparer les dégâts causés par les déclarations de Jurieu,

— aspect physique d'Octave (interprété par Renoir), contrastant avec celui de Jurieu,

— présence de la foule suggérée par quelques personnes (le plan rapproché permet « d'économiser » la figuration) et par les bruits off (voix),

— travelling descriptif dans la chambre de Christine, informant sur son niveau de vie (présence de la camériste, utilisation de la profondeur de champ indiquant les dimensions de la pièce, robe de Christine) et sur sa personne (plan rapproché).

5.2. *Codes spécifiques / codes non spécifiques*

On voit, d'après cet exemple trop sommairement traité, que le film est en fait constitué, selon la formule de Marc Vernet (108), de « réseaux structurés d'une multitude de codes ». Parmi ces codes il en est de spécifiquement cinématographiques (ils ne sont utilisés qu'au cinéma) et de non spécifiquement cinématographiques (on peut les utiliser ailleurs). Cette distinction est importante car elle permet de montrer

que le cinéma n'est pas une langue uniforme, un code spécifique, comme ont pu le croire certains théoriciens du « cinéma pur »,

que le cinéma fait appel à de nombreux codes extra-cinématographiques (mais lesquels ? et à quelles fins ? c'est ce qu'il est peut-être important de dégager),

que ces éléments extra-cinématographiques sont parfois « traités », « transformés », « intégrés » par et dans les codes spécifiques.

Reconsidérons les premiers plans de *La règle du jeu*. Nous répertorions dans les codes non-spécifiques :

— la musique du générique (la musique n'est pas un code spécifiquement cinématographique ; cependant les musiques écrites spécialement pour le cinéma présentent des caractéristiques propres, elles sont généralement reconnaissables comme « musique de film », donc intégrées dans une certaine mesure, aux codes spécifiques),

— les textes écrits,

— les paroles (dans leur contenu, car l'organisation, la structuration d'un dialogue cinématographique est évidemment spécifique, liée au montage : voir les plans 5 à 9),

— les mimiques et les gestes des acteurs (que l'on peut retrouver dans la vie quotidienne ou au théâtre ; cependant, là encore, il serait possible d'envisager une forme de jeu spécifiquement cinématographique, d'ailleurs variable selon les époques, les écoles, les pays, etc., mais présentant, par rapport au théâtre, des traits distinctifs pertinents),

— les objets représentés dans chaque plan (avion, micro, chambre avec l'organisation de son espace, etc.),

— les vêtements comme « signes sociaux » (tenue de l'aviateur, costume de l'Officiel, robe de Christine, etc.),

— les rôles de chaque personnage et les thèmes de la narration (l'exploit, l'amour ; le héros, l'ami ; l'ingénieur, la speakerine), mais il existe des rôles spécifiquement cinématographiques (western, comédie musicale),

— les bruits divers (avion, voix, cris),

— l'organisation des plans en tant qu'images (échelles, structuration de l'espace). Mais peut-on vraiment assimiler un plan, pris dans un continuum filmique, à une photographie (image fixe) ? Les points communs sont évidents, mais la perception des images est fort différente et l'on peut mettre ceci en évidence en pratiquant l'analyse de photogrammes ou, mieux encore, au cours d'une projection, l'arrêt sur image. L'analyse plan par plan, à la visionneuse par exemple, se différencie très nettement de la vision pure et simple du film : elle rompt la continuité narrative et visuelle, elle décompose ce qui se montrait comme totalité signifiante, elle explicite les relations entre les plans et entre les éléments constitutifs des plans, etc. Elle montre également que l'image filmique présente certains traits spécifiques de par sa situation dans le continuum (voir ce que nous avons dit du plan 7 de *La règle du jeu*).

Venons-en aux codes spécifiques. Nous relevons :

— les mouvements d'appareil (travelling, panoramique, mouvements optiques) : plans 1 et 7,

— les variations d'échelle des plans (plans américain, moyen, etc.),

— le montage des images (montage alterné, par exemple : plans 6, 7 et 8),

— l'utilisation du hors-champ (sonore : voix off ; visuel : plans 3, 4, 9).

Le cadre de l'écran délimite le champ visuel de la caméra (et, par suite, du spectateur). Mais, la plupart du temps, le champ diégétique déborde le champ visuel : au plan 3, par exemple, nous « savons » qu'au-delà de ce que nous voyons (la speakerine en plan rapproché), il y a la foule, l'aérodrome, l'avion de Jurieu, etc. C'est une spécificité du récit filmique que de jouer sans cesse du champ et du « hors-champ ». Pour être plus précis, disons que l'utilisation du hors-champ est devenue simultanément une possibilité et une contrainte à partir du découpage narratif classique (historiquement attribué à Griffith) en plans généraux, plans rapprochés, gros plans et du montage alterné des images (champ/contre-champ). On peut concevoir un récit filmique sans hors-champ (la caméra, immobile, enregistrerait une série d'événements qui ne déborderaient pas le cadre qu'elle délimite). En fait, même les films de Lumière et Méliès impliquent un hors-champ (ou, pour ce dernier, un « hors-scène »). C'est peut-être que tout événement implique un contexte qui toujours excède ce que le récit nous en livre. Cependant, il existe effectivement des genres cinématographiques (films d'action, films à suspense) ou des réalisateurs (Renoir, précisément) qui exploitent les ressources du hors-champ, alors que d'autres tendent à réduire l'action (au plan diégétique) et le spectacle (au plan perceptif) aux dimensions de l'écran : pour ceux-ci, l'écran est un cadre, pour ceux-là c'est un « cache » (voir les analyses de N. Burch, 25).

— les combinaisons images/bruits/mots.

Nous ne trouvons pas, dans cet extrait, d'exemples d'autres codes spécifiques tels que l'accéléré, le ralenti, le flou, la surimpression, le fondu au noir ou le fondu enchaîné, les divers trucages proprement cinématographiques, etc.

Plutôt que de code, il faudrait ici parler de signifiants cinématographiques. La signification de ces éléments est en effet variable selon les époques, les genres, les réalisateurs, les films. Elle est étroitement dépendante du contexte de la narration. Ainsi le passage du plan américain large (4) au plan rapproché-taille (5), puis au plan rapproché-poitrine (6) est ici lié au dialogue Jurieu-

Octave, aux sentiments de Jurieu, au rôle du micro ; le travelling vertical et la plongée du plan 7 ont des fins essentiellement descriptives (mais, dans un autre contexte, le travelling ascendant vertical pourrait signifier l'éloignement ressenti subjectivement ou la clôture d'une séquence). Les signifiants cinématographiques (ou « paramètres de l'image » selon Bergala (19)) se structurent en codes selon des contraintes culturelles, des modèles narratifs en vigueur à un moment historique donné.

Lire le récit filmique c'est donc rapporter ses divers éléments à leur actualisation en ces multiples codes. Dans les films narratifs classiques, on pratique volontiers la redondance : dans telle scène d'amour, les sentiments des personnages seront signifiés par les paroles prononcées, le jeu d'acteurs, la composition de l'image (cadrage, éclairage, mouvement éventuel ou absence de mouvement), la musique. Mais on peut aussi utiliser le multicodisme cinématographique à des effets de contraste, d'opposition, de rupture, de distanciation (voir ch. 13). Enfin, le non-emploi ou le sous-emploi de tel ou tel code procède souvent d'intentions particulières (absence ou raréfaction du dialogue dans un film « parlant » : *L'île nue* de Kaneto Shindo, *Play-Time* de Tati ; absence de musique, de bruits, d'expression du visage des acteurs, etc.).

5.3. La Grande Syntagmatique de Christian Metz

Mettre en évidence la structure d'un film est possible à différents niveaux : celui du plan, celui de la séquence, celui des grandes articulations du récit, etc. On fera alors intervenir des éléments d'analyse hétérogènes : au niveau du plan, on insistera davantage sur le montage, les questions de raccords, les relations de composition entre les images, alors qu'au niveau des grandes articulations, c'est la structure du récit proprement dit qui prévaudra (traitement des lieux, du temps, des rapports entre les personnages, évolution de l'action).

Christian Metz a proposé une liste de huit grands types de séquences (dites « segments autonomes ») qui constituent, selon lui, une subdivision première de la bande image (abstraction faite, par conséquent, du dialogue, des bruits, de la musique) des films narratifs. Ces segments autonomes ne sont pas indépendants les uns des autres ; ils prennent sens les uns par rapport aux autres ; ils sont une subdivision supérieure au plan (segment minimum, à ce niveau d'analyse) mais inférieure aux grandes parties. Il arrive cependant qu'un plan constitue à lui seul un segment autonome.

Les segments autonomes font correspondre à un épisode du récit une structuration particulière de la bande image. Metz distingue d'abord les segments autonomes **en un seul plan** des segments autonomes **en plusieurs plans** (dits « syntagmes »). Un seul plan peut en effet correspondre à un épisode ; c'est le cas du « plan-séquence » qui fait converger l'unité d'action et l'unité de prise de vue ; c'est le cas également, selon Metz, des « inserts », plans uniques intervenant au sein d'une séquence qui se poursuit ensuite, pour marquer diverses relations avec l'un des aspects de la séquence : comparaison ponctuelle, souvenir, explications, rappel d'un autre élément de la diégèse...

Parmi les syntagmes, Metz distingue

— les **syntagmes a-chronologiques,** dans lesquels « le rapport temporel entre les faits présentés par les différentes images n'est pas précisé » (64),

— les **syntagmes chronologiques,** dans lesquels ce rapport temporel est précisé.

Deux types de syntagmes a-chronologiques :

— le **syntagme parallèle** qui fait alterner deux ou plusieurs « motifs » à des fins symboliques (patrons/ouvriers, ville/campagne, jeunes/vieux, riches/pauvres), selon la structure A B A B...

— le **syntagme en accolade,** évocation d'événements non situés les uns par rapport aux autres, mais « typiques d'un même ordre de réalité » (64), signifiant une « catégorie de faits » : scènes de travail, de guerres, etc.

En ce qui concerne les syntagmes chronologiques, Metz propose la distribution suivante : voir page suivante.

C. Metz a appliqué sa grande syntagmatique à l'étude du film de Jacques Rozier *Adieu Philippine* (voir 61). Mais il reconnaît que cet outil est imparfait et ne permet pas de rendre compte de tous les agencements de plans. Tel quel, il permet néanmoins de sensibiliser le spectateur à certains aspects de la découpe des films narratifs. On se rendra compte à l'usage que le repérage temporel est souvent ambigu ou indécidable si l'on se réfère à la seule

SYNTAGME DESCRIPTIF : la succession des images ne correspond pas à une succession temporelle dans l'histoire ; les images ont un « rapport de coexistence spatiale » (plans descriptifs d'une maison, par ex.) : voir 8.2.

SYNTAGME NARRATIF ALTERNÉ : deux ou plusieurs séries événementielles telles que le rapport temporel entre les séries est la simultanéité (poursuivants/poursuivis, par ex.)

SCÈNE : consécution temporelle continue (scène en « temps réel » : voir 11.2.2.)

SÉQUENCE PAR ÉPISODES : discontinuité organisée en vue d'exprimer diverses sortes de progressions (évolution, détérioration, progrès matériels ou relationnels ou individuels).

YNTAGMES HRONOLOGIQUES

SYNTAGME NARRATIF : rapport de consécution temporelle entre les images

SYNTAGMES NARRATIFS LINÉAIRES : une seule série événementielle avec consécution temporelle

SÉQUENCES : consécution temporelle discontinue

SÉQUENCE ORDINAIRE : discontinuité inorganisée (on « saute » les moments « inutiles », pour des raisons fonctionnelles).

39

bande image. C'est très souvent le texte (intertitre dans les films muets, dialogue ou commentaire « off » dans les films parlants) qui permet l'ancrage temporel des plans ou de séquences les uns par rapport aux autres. Pour s'en convaincre, il n'est que de projeter quelques séquences de film sans le son et de tenter une reconstitution temporelle des événements représentés. On trouvera dans le présent ouvrage des exemples d'utilisation de la Grande Syntagmatique, notamment au chapitre 11.1.

On a toujours intérêt à souligner d'emblée le caractère complexe de l'objet film (ainsi *L'arrivée du train en gare* de Lumière pose déjà la question du plan : c'est une bande en un seul plan, mais le photogramme initial et le photogramme final sont tout à fait différents, le train étant passé, ainsi que certains voyageurs, de l'arrière-plan au premier plan ; faut-il définir le plan par rapport au tournage, au montage ou aux mouvements qui lui sont internes — mouvements d'appareil ou des personnages — : sur ce point, voir 70 et 20). Ce sont bien, en dernière analyse, les interactions entre les divers moyens d'expression qui font la spécificité du récit filmique et qui doivent être le plus vite possible perçues. Mais, là encore, pas de normes de perception, le multicodisme du film offrant au spectateur des points d'ancrage (pour son attention, ses identifications-projections, son plaisir) pluriels : ce qu'on « retient » d'un film, la confrontation des perceptions le montrera, c'est certes une « histoire » mais, si l'on creuse un peu plus, c'est un visage ou des voix ou une musique ou les couleurs d'une séquence ou un climat sonore, etc. Bien entendu, la confrontation des premières perceptions avec de nouvelles visions des films ou extraits permet de comprendre (ou du moins d'observer puis de chercher à comprendre) pourquoi on a retenu tel aspect du récit (mis « objectivement » en relief par le film ou subjectivement dégagé), pourquoi on a cru voir ou entendre tel détail et oublié tel autre (on peut imaginer des questionnaires préliminaires à la seconde vision d'une séquence : qu'a dit tel personnage ? Y avait-il de la musique ? Combien de plans ? Quels objets dans le décor ? etc., à condition de ne pas en faire des instruments de dépistage de l'erreur mais des moyens d'investigation de la perception filmique, d'une part, et de l'espace filmique, d'autre part.).

Au niveau de la séquence, il est intéressant d'observer le degré de sensibilité au découpage d'un film. Est-on conscient de l'existence de séquences ? Comment les délimite-t-on ? En référence à la diégèse, à des éléments de ponctuation ? Peut-on différencier des types de séquence, comme le fait Metz dans sa « grande syntagmatique », laquelle ne constitue pas un modèle mais une référence possible. L'approche du découpage en séquences à partir de l'observation de films courts ou d'extraits suivis constitue une sensibilisation au traitement filmique de l'espace et du temps.

Conclusion

Le mot écrit participe de la communication « digitale » (de « digits » ou « binary digits » ou « bits » : unité d'information dans le système de calcul binaire des ordinateurs ; la relation est arbitrairement posée entre le signe nommant et la chose nommée), alors que le film participe (le plus souvent, aujourd'hui) de la communication analogique (il existe un rapport d'analogie entre l'image et ce qu'elle représente). Le film narratif utilise plusieurs moyens de communication analogique : l'image mouvante, le son, les gestes et mimiques des acteurs. Or les langages digitaux — caractérisés par leur complexité, leur sophistication, leur souplesse, leur abstraction, leur syntaxe élaborée — s'opposent aux langages analogiques — imprécis, ambigus, équivoques, impuissants à exprimer certains aspects logiques du discours (contradiction, alternative), riches en composantes émotionnelles et subjectives, dépourvus de syntaxe. En gros, les langages digitaux sont plutôt aptes à transmettre des contenus, alors que les langages analogiques instaurent des relations (étant bien entendu que ces deux aspects de la communication, contenu et relation, sont toujours présents et que, par conséquent les modes de communication digitaux et analogiques coexistent et se complètent à l'écrit comme au cinéma : nous définissons ici des tendances). Il en résulte que la traduction du langage digital en langage analogique s'accompagne de pertes non négligeables d'informations sur les contenus et que l'opération inverse entraîne la raréfaction des éléments relationnels. Sur le plan pratique, on peut en inférer qu'il est bon, lorsqu'on projette de parler d'un film, d'observer une phase transitoire d'expression semi-analogique (verbalisation des impressions, émotions) avant de procéder à des analyses élaborées. Par ailleurs, ce sont sans doute des « effets relationnels » qui paraîtront les plus prégnants, s'agissant du cinéma, et qu'il sera nécessaire d'élucider avant de conduire une analyse des contenus abstraits (ces deux aspects étant liés, nous y insistons). En termes psychanalytiques, nous dirions que la vision d'un film enclenche des processus primaires (liés au principe de plaisir), de façon plus intense que la lecture, sans nier l'influence des processus secondaires intervenant nécessairement pour la compréhension du film.

Hjelmslev, comme l'a indiqué Christian Metz (67), nous offre d'autres outils de référence pour distinguer le récit écrit du récit filmique : voir le tableau ci-dessous.

Un tel tableau laisse à penser que l'écrit et le filmique ne se distinguent que par leurs signifiants respectifs. Il faut d'abord souligner que la mise en évidence de formes de l'expression (ou du signifiant) différentes permet d'affiner les analyses comparatives (voir ch. 3). D'autre part, la conjonction expression/contenu

	Récit écrit	*Récit filmique*
substance de l'expression (ou du signifiant)	traces graphiques espaces blancs	image mouvante, bruit, son musical, son phonétique, traces graphiques
forme de l'expression (ou du signifiant)	phrases, paragraphes, chapitres, répartition des surfaces	montage des images, contrepoints images/son, images/musique, images/paroles, agencements des formes et des couleurs selon des rapports d'opposition ou de complémentarité, jeux sur l'échelle des plans...
substance du contenu (ou du signifié)	des événements réels ou imaginaires, des sentiments, des idées puisés dans le substrat historique, légendaire, mythique, social, humain...	
forme du contenu (ou du signifié)	structure de la narration, des sentiments, des idées, des thèmes	

peut produire des significations spécifiques (non coïncidence de l'image et du son, par ex., ou syntagme en accolade : voir 5.3.). Ces quatre éléments de la signification ne peuvent être considérés que conjointement : ainsi la structure temporelle d'un récit (forme du contenu) ne peut être séparée de sa réalisation, son actualisation en des formes des signifiants (voir ch. 11) (par exemple la simultanéité des faits diégétiques et l'alternance des images). Enfin, il est permis de penser que, pour des raisons diverses (historiques, économiques, commerciales), il existe des substances du contenu spécifiques au roman et au cinéma (des « sujets » de films et de récit, de romans ou de nouvelles) et des formes du contenu également spécifiques (que dire de la comédie musicale ?).

Metz a bien montré (67) que le recours aux concepts de Hjelmslev permet d'éviter l'écueil de la distinction passe-partout et fautive entre « fond » et « forme » : il y a une « forme du fond » et un « contenu de la forme »... Au-delà de ces considérations théoriques, c'est l'approche des textes écrits et filmiques qui est en jeu. Indiquer pour chaque texte comment la signification est produite des rapports réciproques de l'expression et du contenu, indissociables dans leur fonctionnement, et en quoi ce qui est produit est à la fois spécifique et non-spécifique (c'est-à-dire, pour un mode d'expression donné — le film, par exemple —, à la fois analogue, par certains aspects, et irréductible à ou intraduisible en un autre) : tel nous paraît être un projet laissant moins de place qu'il n'est usage, s'agissant du cinéma, à l'a-peu-près et à la confusion.

DEUXIÈME PARTIE

Sur quelques aspects du récit

6. LE NARRÉ ET LE DIALOGUÉ

Nous avons évoqué (voir 1.) sommairement l'alternance de ces aspects du récit et son incidence sur l'espace et le mouvement de lecture.

6.1. Le dialogue écrit

Le dialogue implique une organisation spatiale particulière. En effet il ne représente pas mais reproduit un discours réel ou fictif, du moins lorsque les paroles sont bien rapportées au style direct. Cependant ces mots, prononcés oralement, sont transposés par écrit : le dialogue n'est pas un enregistrement pur et simple, un certain nombre de conventions devront intervenir. Elles sont diversement utilisées selon les auteurs.

A. Extrait de *Jacques le Fataliste*, de Diderot.

Le Maître. — Avant que d'entrer dans l'histoire de mes amours, il faut être sorti de l'histoire des tiennes. Eh bien ! Jacques, et tes amours, que je prendrai pour les premières et les seules de ta vie, nonobstant l'aventure de la servante du lieutenant général de Conches ; car, quand tu aurais couché avec elle, tu n'en aurais pas été l'amoureux pour cela. Tous les jours on couche avec des femmes qu'on n'aime pas, et l'on ne couche pas avec des femmes qu'on aime. Mais...

Jacques. — Eh bien ! mais !... qu'est-ce ?

Le Maître. — Mon cheval !... Jacques, mon ami, ne te fâche pas ; mets-toi à la place de mon cheval, suppose que je t'aie perdu, et dis-moi si tu ne m'en estimerais pas davantage si tu m'entendais m'écrier : « Mon Jacques ! mon pauvre Jacques ! »

Jacques sourit et dit : « J'en étais, je crois, au discours de mon hôte avec sa femme pendant la nuit qui suivit mon pre-

mier pansement. Je reposai un peu. Mon hôte et sa femme se levèrent plus tard que de coutume.

Le Maître. — Je le crois.

Jacques. — A mon réveil, j'entrouvris doucement mes rideaux, et je vis mon hôte, sa femme et le chirurgien en conférence secrète vers la fenêtre. Après ce que j'avais entendu pendant la nuit, il ne me fut pas difficile de deviner ce qui se traitait là. Je toussai. Le chirurgien dit au mari : « Il est éveillé ; compère, descendez à la cave, nous boirons un coup, cela rend la main sûre ; je lèverai ensuite mon appareil, puis nous aviserons au reste. »

La bouteille arrivée et vidée, car, en terme de l'art, boire un coup c'est vider au moins une bouteille, le chirurgien s'approcha de mon lit, et me dit : « Comment la nuit a-t-elle été ?

— Pas mal.

— Votre bras... Bon, bon... le pouls n'est pas mauvais, il n'y a presque plus de fièvre. Il faut voir à ce genou... Allons, commère, dit-il à l'hôtesse qui était debout au pied de mon lit derrière le rideau, aidez-nous... » L'hôtesse appela un de ses enfants... « Ce n'est pas un enfant qu'il nous faut ici, c'est vous, un faux mouvement nous apprêterait de la besogne pour un mois. Approchez. » L'hôtesse approcha, les yeux baissés... « Prenez cette jambe, la bonne, je me charge de l'autre. Doucement, doucement... A moi, encore un peu à moi... L'ami, un petit tour de corps à droite... à droite vous dis-je, et nous y voilà... »

Je tenais le matelas des deux mains, je grinçais les dents, la sueur me coulait le long du visage. « L'ami, cela n'est pas doux.

— Je le sens.

— Vous y voilà. Commère, lâchez la jambe, prenez l'oreiller ; approchez la chaise et mettez l'oreiller dessus... Trop près... Un peu plus loin... L'ami, donnez-moi la main, serrez-moi ferme. Commère, passez dans la ruelle, et tenez-le par-dessous le bras... A merveille... Compère, ne reste-t-il rien dans la bouteille ? »

B. Extrait de *La chartreuse de Parme*, de Stendhal.

Le lendemain, sur le midi, le comte, qui avait passé dix fois au palais Sanseverina, enfin fut admis ; il fut atterré à la vue de la duchesse... « Elle a quarante ans ! se dit-il, et hier si brillante ! si jeune !... Tout le monde me dit que, durant sa longue conversation avec la Clélia Conti, elle avait l'air aussi jeune et bien autrement séduisante. »

La voix, le ton de la duchesse étaient aussi étranges que l'aspect de sa personne. Ce ton, dépouillé de toute passion, de tout intérêt humain, de toute colère, fit pâlir le comte ; il lui rappela la façon d'être d'un de ses amis qui, peu de mois auparavant, sur le point de mourir, et ayant déjà reçu les sacrements, avait voulu l'entretenir.

Après quelques minutes, la duchesse put lui parler. Elle le regarda, et ses yeux restèrent éteints :

— Séparons-nous, mon cher comte, lui dit-elle d'une voix faible, mais bien articulée, et qu'elle s'efforçait de rendre aimable ; séparons-nous, il le faut ! Le ciel m'est témoin que, depuis cinq ans, ma conduite envers vous a été irréprochable. Vous m'avez donné une existence brillante, au lieu de l'ennui qui aurait été mon triste partage au château de Grianta ; sans vous j'aurais rencontré la vieillesse quelques années plus tôt... De mon côté, ma seule occupation a été de chercher à vous faire trouver le bonheur. C'est parce que je vous aime que je vous propose cette séparation *à l'amiable,* comme on dirait en France.

Le comte ne comprenait pas ; elle fut obligée de répéter plusieurs fois. Il devint d'une pâleur mortelle, et, se jetant à genoux auprès de son lit, il dit tout ce que l'étonnement profond, et ensuite le désespoir le plus vif, peuvent inspirer à un homme d'esprit passionnément amoureux. A chaque moment il offrait de donner sa démission et de suivre son amie dans quelque retraite à mille lieues de Parme.

— Vous osez me parler de départ, et Fabrice est ici ! s'écria-t-elle enfin en se soulevant à demi.

Mais comme elle aperçut que ce nom de Fabrice faisait une impression pénible, elle ajouta après un moment de repos et en serrant légèrement la main du comte :

— Non, cher ami, je ne vous dirai pas que je vous ai aimé

avec cette passion et ces transports que l'on n'éprouve plus, ce me semble, après trente ans, et je suis déjà bien loin de cet âge. On vous aura dit que j'aimais Fabrice, car je sais que le bruit en a couru dans cette cour *méchante*. (Ses yeux brillèrent pour la première fois dans cette conversation, en prononçant ce mot *méchante*.) Je vous jure devant Dieu, et sur la vie de Fabrice, que jamais il ne s'est passé entre lui et moi la plus petite chose que n'eût pas pu souffrir l'œil d'une tierce personne.

C. Extrait de *l'Inquisitoire*, de R. Pinget.

D'Eterville allait-il à Vaguemort
Oui je ne l'ai su qu'après aussi
Où se situe la ferme par rapport à la carrière
Vous voulez que je reparle de ça
Répondez
Vous le savez aussi bien que moi
Qu'est-ce qui vous le fait croire
Il ne serait pas venu tout à l'heure si vous ne saviez pas
Encore une fois votre imagination vous dessert, répondez
Vous n'avez pas répondu non plus
Nous ne savons rien
Attention
Répondez
Il va revenir il ne me fait pas peur il n'aura pas Marie il n'aura pas le petit je brûlerai Vaguemort moi avec s'il le faut
Calmez-vous, où se situe la ferme
Faites le signe de croix
Est-ce que ça vous tranquillise
Oui
Pourquoi ne le chassez-vous pas de cette façon la nuit
Ça ne réussit pas tous les coups.

On sait que Diderot soulignait volontairement l'artificialité du dialogue par le recours à la méthode des textes de théâtre : nom du personnage précédant la réplique (cf., dans *Le neveu de Rameau*, les mentions « moi », « lui »). Cependant, dans cette page on trouve, comme dans la page de Stendhal :
— Des signalisations du sens du dialogue (sens = direction : un dialogue réel se déroule dans une situation implicitement

déterminée, par conséquent non formulée ; le dialogue romanesque se déroule « hors situation » pour le lecteur que la narration
devra informer) : « le chirurgien **dit au mari...** », « le chirurgien
... **me** dit », « **se** dit-il », « la duchesse put **lui** parler », « **lui**
dit-elle », etc. Sont signalés : le sujet de l'énonciation, le mouvement d'énonciation, le destinataire du message.

— Des descriptions de la tonalité : « voix ... ton ... étranges... », « ton dépouillé de toute passion », « voix faible, mais
bien articulée ».

— La mention des accents d'intensité : aux neutres « dit-il »,
« dit-elle », s'oppose « s'écria-t-elle ».

— La mention des silences ou des pauses : dans le texte A les
points de suspension indiquent le rythme des paroles, lié à celui
des mouvements ; dans le texte B : « Après quelques minutes... », « Après un moment de repos... ».

— La description des mimiques et des gestes : « yeux éteints »,
« pâleur mortelle », « se jetant à genoux » (B), « l'hôtesse qui
était debout ... approcha, les yeux baissés », etc. (A).

— Dans le texte B, une explication des mots en italiques,
caractères lus, mais dont la caractéristique orale est soulignée par
le discours

• du personnage : *à l'amiable*, « comme on dirait en France »,

• du narrateur : *méchante*, « ses yeux brillèrent pour la première fois dans cette conversation, en prononçant ce mot
méchante ».

En résumé, le dialogue coûte un certain nombre d'informations sur les modalités de son déroulement. Il oblige le romancier
à un jeu de va-et-vient entre énoncé (reproduit) et énonciation
(décrite). Parfois les conventions du discours narratif, l'arbitraire
de ses signes sont mis à nu : dans le texte B, des répétitions sont
signalées mais non reproduites, les consolations du comte ne sont
pas rapportées ; dans le texte A, le décalage entre deux techniques narratives fait apparaître leurs conventions respectives.

L'Inquisitoire de R. Pinget est l'exemple d'un récit dialogué
ayant éliminé tous les éléments répertoriés ci-dessus, y compris les
noms des personnages-sujets-de-l'énonciation. Seuls les mots du
dialogue fournissent les informations, et ce dans tout le récit : ce
qui nous mène au-delà même des textes de théâtre (71). La
progression de l'histoire est dans la progression (ou le piétinement) du dialogue.

Dans des textes plus classiques, les scènes progressent par échange entre le dialogue et la narration (texte B). La narration explique les tenants et aboutissants du dialogue, le dialogue relance la fiction. Stendhal s'applique d'ailleurs à unifier les discours : pas de décalage entre les styles des personnages, entre personnages et narrateur. Au contraire, chez Diderot, les mots sont « caractéristiques » (comme le souhaitait Flaubert) des personnages (situation sociale, rôle dans l'intrigue), comme chez Pinget (ainsi, l'interrogé commet de nombreuses fautes de français). Le discours du narrateur s'oppose parfois, dans le ton, le style ou le contenu, à celui d'un ou de plusieurs personnages. C'est que le dialogue peut servir à faire varier les points de vue sur l'histoire (à passer de l'objectivité du narrateur à la subjectivité du personnage, du raconté au ressenti), à confronter les *voix* et les discours (c'est le dialogisme défini par Bakhtine) (5).

En résumé, l'étude du dialogue écrit implique qu'on considère

• les techniques de reproduction ;

• la caractérisation stylistique des personnages (**sociolecte :** les paroles portent la marque de l'appartenance sociale ; **idiolecte :** le discours est marqué de traits, manies, déformations propres à la personne) ;

• les relations entre discours des personnages et discours du narrateur ;

• l'alternance, la répétition et les rapports entre narré, décrit et dialogué.

Ce dernier point permet de mettre à jour :

• les difficultés à distinguer ces trois aspects du récit chez certains auteurs qui s'appliquent à les fondre (utilisation de style indirect libre chez Flaubert, par exemple),

• des échanges entre les fonctions du narré, du décrit et du dialogué (descriptions narratives chez Robbe-Grillet, dialogues descriptifs chez Marguerite Duras),

• la constitution de genres narratifs fondés sur la prédominance de l'un de ces aspects du récit : romans dialogués (Diderot, Pinget), pseudo-dialogue (*La chute* de Camus), monologues (*Molloy* de Beckett : le monologue supprime l'instance narrative, personnage et narrateur sont confondus), tableau narratif (*La chambre secrète*, de Robbe-Grillet), etc.

6.2. Le dialogue filmique

Ecrit (intertitres) ou parlé, le dialogue filmique ne prend sens que par rapport à des images (processus évidemment réciproque).

Les images « muettes » nous donnent à voir les mimiques, les gestes, la personne qui parle, l'acte d'énonciation dans ce qu'il a de visuellement perceptible ; mais l'énoncé lui-même, ainsi que les éléments supra-segmentaux (débit, tonalité, accent, volume de la voix) ne peuvent être communiqués dans la même image. Le cinéma muet a recours aux intertitres qui nous livrent le contenu des paroles. L'alternance obligée entre les plans de personnes et les « plans de paroles » pose des problèmes techniques : il ne faut pas trop ralentir le flux des images diégétiques au risque de briser ou de hacher excessivement la continuité narrative, il faut que la relation entre les paroles et la personne qui parle soit claire. Par ailleurs, il faut pallier l'absence d'informations sur les éléments supra-segmentaux. On peut noter divers procédés :

— opposition, dans le plan, entre un personnage qui parle et un ou plusieurs personnages qui écoutent, se contentant de marquer corporellement leurs sentiments ;

— abondance des gros plans et des plans rapprochés sur le sujet parlant ;

— diverses procédures d'isolement du sujet parlant : cache, par ex.

— exagération de l'expression mimique et gestuelle des sentiments du sujet parlant.

Les dialogues des films parlants présentent des caractéristiques spécifiques assez facilement perceptibles dès que l'on compare leur réalisation écrite (à lire dans les scénarios et continuités dialoguées) à leur réalisation filmique (c'est-à-dire sonore et visuelle). Observons les plans 6 à 9 de *La Règle du Jeu* (voir 5.1.)

transcription écrite	*texte filmique*
Le sujet parlant est désigné dans le texte par son nom (Jurieu, Octave...).	Le sujet parlant est désigné — par la caméra (plan 6) — par sa voix (Octave, p. 7).

Noter que le nom de Christine est donné par le texte écrit, mais non par le texte filmique.

Le sujet parlant n'a pas de voix, seul le contenu des paroles informe sur ses sentiments.	Voix et gestes informent le spectateur : plan 6, passage de la tristesse à la colère ; plan 7, gêne de la speakerine, nervosité de Christine.
Les paroles sont données à lire successivement.	Bruits et paroles se superposent (plans 6 et 7), sont donnés à entendre simultanément.

La désignation d'un sujet parlant par sa voix permet les effets de « hors-champ » (plan 7). Il y a d'ailleurs des degrés et des niveaux dans le hors-champ, du hors-champ diégétique proche (les bruits dans le plan 6 : ils sont dans l'environnement immédiat de Jurieu), au hors-champ diégétique « lointain » (dans l'espace : plan 7, Octave et la speakerine ; dans le temps : réminiscences sonores), au hors-champ extra-diégétique (voix off de *Jules et Jim*). Cette remarque nous conduit à signaler que le film peut montrer à l'image autre chose que la source des bruits et des paroles entendus. En gros deux possibilités s'offrent :

— faire correspondre l'image et le son (bruits et paroles), selon un principe de réalité ;

— décaler l'image et le son, refuser leur superposition, pour des raisons diverses : désamorcer l'« effet de réel », souligner la charge signifiante ou symbolique d'un épisode, etc. Les films d'Alain Resnais ou d'Alain Robbe-Grillet offrent des exemples intéressants de décalages image/son. Autre exemple : dans *Cris et Chuchotements* (I. Bergman), une scène rapproche pour un temps Maria et Karin...

> *Plan rapproché-épaules des deux sœurs qui pleurent et s'étreignent. En off : musique de violoncelle. Gros plan des deux visages qui se parlent mais la musique de violoncelle couvre leurs voix.*
>
> (voir « L'Avant-Scène » n° 142, p. 45)

Cette séquence illustre assez bien la remarque de Roman Jakobson : « ... le rapport entre ce qu'on entend et ce qu'on voit ne doit pas du tout imiter le rapport entre ce qu'on entend et ce qu'on voit dans la vie (...) j'imaginais un dialogue entre des gens qu'on ne voit pas sur l'écran, pendant qu'on voit des choses totalement différentes » (52).

Les techniques d'enregistrement du dialogue cinématographique induisent d'autres traits spécifiques :

— la possibilité de « faire passer » des volumes sonores très faibles (et donc, par exemple, d'articuler de véritables chuchotements sans se soucier, comme au théâtre, d'avoir à passer la rampe) ;

— la possibilité de sélectionner les sons et de les répartir sur divers « plans sonores » ;

— la possibilité de mixer les sons.

Sur un plan plus général, la structure d'ensemble des dialogues filmiques serait à examiner

— en fonction des « économies » réalisées sur le plan descriptif ou explicatif (par rapport au dialogue romanesque) ;

— en fonction du découpage filmique, produit des nécessités diégétiques et des contraintes du tournage (économiques et matérielles).

A cet égard, les essais de transposition de nouvelles en continuités dialoguées sont plus parlants que de longs discours théoriques.

Exemple : Partie de Campagne de Maupassant et *Partie de Campagne* de Renoir. Le trouble sensuel qui envahit peu à peu Henriette fait l'objet, dans le texte de Maupassant, de notations brèves échelonnées au fil du récit :

« Elle affectait même de tourner la tête et de ne point les remarquer...

La jeune fille, émue, leva les yeux et regarda le canotier...

La jeune fille les examinait de côté maintenant...

Quant à la jeune fille, elle ne laissait rien paraître ; son œil seul s'allumait vaguement, et sa peau très brune se colorait aux joues d'une teinte plus rose...

Elle se sentait prise d'un renoncement de pensée, d'une quiétude de ses membres, d'un abandonnement d'elle-même, comme envahie par une ivresse multiple (...) Un besoin vague

de jouissance, une fermentation du sang parcouraient sa chair excitée par les ardeurs de ce jour... » Aucune de ces émotions n'est dite par Henriette : elle subit le trouble sans le formuler.

Dans le film de Renoir, une séquence est consacrée à l'explicitation des émois de la jeune fille :

Henriette, en gros plan. Maman, regarde la jolie chenille dorée !

Madame Dufour, en gros plan. La touche pas ma petite fille ; ça te donnerait des boutons !
Plan moyen de Mme Dufour et d'Henriette, assises sous le cerisier. Elles regardent à terre, Mme Dufour jouant avec des brins d'herbes.

Henriette. C'n'est pas sale ! ça ne mange que de l'herbe ! Comme c'est étonnant la campagne. Sous chaque brin d'herbe, il y a des tas de petites choses, qui bougent, qui vivent, si naturelles. Chaque fois qu'on pose son pied on manque d'en écraser !

Madame Dufour. Oh ! ben alors, si on pensait à tout ça, on ne ferait plus rien !

Henriette. Je m'demande si ces petites bêtes souffrent et ont du plaisir comme nous ?

Madame Dufour. Mais non, voyons ; c'est pas comme les personnes ! Et puis elles sont bien trop petites.

Henriette. Pourtant elles viennent au monde et elles meurent comme nous !

Madame Dufour. Mais au fait, je me demande comment ça fait des petits une chenille ?

Henriette. Ça fait pas de petits ! Celle-là, grosse comme elle est et toute dorée, fera sûrement un beau papillon !
La caméra s'approche un peu, en plan rapproché. Henriette se penche vers sa mère.

Madame Dufour. On en voit des drôles de choses !...

Henriette. Dis donc, maman, quand tu étais jeune, ... enfin quand tu avais mon âge..., est-ce que tu venais souvent à la campagne ?

Madame Dufour. Non pas souvent ! Comme toi !

> *Henriette.* Est-ce que tu te sentais toute drôle comme moi aujourd'hui.
>
> Mme Dufour passe son bras autour du cou d'Henriette et l'attire à elle.
>
> *Madame Dufour.* Toute drôle ?
>
> Gros plan d'Henriette posant son visage sur l'épaule de sa mère.
>
> *Henriette.* Enfin, oui ; est-ce que tu sentais une espèce de tendresse pour l'herbe, pour l'eau, pour les arbres... Une espèce de désir vague, n'est-ce pas ? Ça prend ici, ça monte, ça vous donne presque envie de pleurer. Dis maman, tu as senti ça quand tu étais jeune ?
>
> *Madame Dufour.* Mais ma petite fille, je l'sens encore ! Seulement, je suis plus raisonnable !

Faut-il en conclure que les nécessités de l'information narrative conduisent le cinéaste à faire dire au personnage ce qui restait informulé, peut-être inconscient dans le récit écrit ? Que l'image ne suffit pas à suggérer le trouble d'Henriette ? Nous ne le pensons pas. Certaines expressions admirablement fugitives de Sylvia Bataille sont assez éloquentes, auxquelles s'ajoutent l'atmosphère d'ensemble et les éclairages du film. En fait, il semble que Renoir ait voulu que se cristallise pour les personnages et les spectateurs, à ce moment du film, l'émoi sexuel, qu'il ait tenu à ce que la fille fût capable de l'exprimer (donc de le vivre et non de le subir seulement) et à y associer la mère. Le dialogue a ici une fonction d'information indéniable, mais il participe aussi de l'édification d'un personnage un peu différent de celui de Maupassant.

Usages et techniques du dialogue filmique

A propos du dialogue filmique, Michel Marie[*] propose de distinguer quatre grands types d'usage correspondant à quatre pôles d'écriture (de conception) et de techniques d'enregistrement :

---

[*] Voir Michel Marie et Francis Vanoye, *Comment parler la bouche pleine ?*, in « Communications » n. 38, Énonciation et cinéma, Seuil, 1983.

. non écrit, improvisé, enregistré en direct, pour des films de non-fiction (interviews, reportages) ;

. non écrit, improvisé, enregistré en direct ou, éventuellement post-synchronisé, pour des films de fiction (Rivette) ;

. écrit en imitant le naturel du dialogue improvisé dans le vif de la conversation (Pialat), direct le plus souvent ;

. écrit dans un style délibérément « antinaturel » (ou « antinaturaliste »), très éloigné de l'oral courant (Duras, Bresson, Godard), souvent post-synchronisé.

Il existe évidemment des cas intermédiaires : improvisation sur canevas (scénaristique ou dialogué) plus ou moins précis ; alternance écrit/improvisé (Pialat, encore), etc. Projeter de courtes séquences de films très contrastés sur ce point constitue une sensibilisation à l'écoute du dialogue filmique et permet de souligner que les degrés d'oralité sont non seulement fonction des situations de tournage, mais aussi et surtout des effets recherchés par l'équipe de réalisation (effet de direct, de réalisme ou, au contraire, de distanciation, de théâtralisation) lesquels sont évidemment tributaires de l'inscription du film dans un genre, un moment de l'histoire du cinéma, éventuellement l'œuvre d'un auteur.

Il en résulte que la comparaison (ou plutôt le transfert) du dialogue filmique et de (à la) conversation ordinaire ne peut se faire sans précaution, voire sans d'importantes réserves. Le dialogue filmique s'insère dans une œuvre fermée à finalités discursives et esthétiques (raconter, faire prendre conscience, convaincre, amuser, etc.).

Par ailleurs, il fait partie d'un film, c'est-à-dire d'un ensemble d'éléments audio-visuels interdépendants (images, bruits, paroles, musique). Ainsi, entre autres nombreuses questions, peut-on se poser celle des rapports entre le « vu » et l'« entendu » (paroles « in » et « off » ou, pour reprendre la proposition de Michel Chion dans *Le son au cinéma*, paroles « in », « off » et « hors-champ » — le dialogue se situant volontiers entre « in » et « hors-champ », plus difficilement entre « in » et « off », les espaces diégétiques étant alors hétérogènes).

Risquons un tableau pour lancer les idées :

Dialogue	Vu/montré	Non vu/non montré
entendu	1 paroles « in »	2 paroles « hors-champ » ou « off » (prononcées dans un espace hétérogène au champ)
non entendu	3 scène « muette » ou « sourde »/substitution de gestes, mimiques ou autres moyens aux paroles	4 hors-champ complet

Case 1. Le dialogue est vu et entendu par le spectateur, quel que soit le mode de filmage considéré (plan rassemblant les protagonistes, champ/contre-champ, mouvements divers). Les aspects non verbaux sont alors à prendre en considération pour comprendre les interactions.

Case 2. Tout ou partie du dialogue se déroule « hors-champs ». Pourquoi ? Selon quels effets ? La réponse peut renvoyer à la situation diégétique (conversation surprise par un personnage, par exemple, ou épiée) ou à des effets de dispositif filmique (tension entre le champ et le hors-champ). Pour un dialogue « off », voir le dialogue des anges dans *La vie est belle* (1946) de Frank Capra. Le passage de 1 à 2, et réciproquement, est fréquent (pour un exemple, voir ci-dessous).

Case 3. Évoque les films dits muets, bien entendu. Mais le parlant n'ignore pas les scènes de paroles vues mais non entendues par le spectateur, ex. in *Cris et chuchotements* de Bergman (1972), déjà cité.

L'inaudibilité des paroles peut être motivée par l'existence d'un obstacle (vitre transparente). Le cas de figure inverse (audibilité des paroles en dépit d'un obstacle) posant le problème du « point de vue sonore »[*].

[*] Voir François Jost, *L'oreille interne. Propositions pour une analyse du point de vue sonore*, in « IRIS », vol. 3, n. 1, 1er sem. 1985.

Dialogue

Le passage de 1 à 3 (et retour), lui aussi, peut être diégétiquement motivé ou narrativement nécessaire (on entend le début d'une conversation qui s'estompe, est « shuntée » parce que, par exemple, le film ménage des effets de suspense ou de surprise).

Case 4. Nous sommes ici renvoyés à l'ellipse ou à l'évocation de dialogues dont nous ignorons tout ou presque : ainsi, dans une séquence du *Genou de Claire* d'Eric Rohmer, une jeune fille fait état d'une conversation qu'elle a eue avec un autre personnage du film et sur laquelle elle laisse planer quelque mystère, à la confusion de son interlocuteur et... du spectateur qui n'en avait pas connaissance*.

Deux exemples

Le diable au corps a été adapté du roman de Raymond Radiguet (1923) par le célèbre tandem de scénaristes-dialoguistes Pierre Bost et Jean Aurenche. A l'époque du film (1946), les scénaristes occupent une place de choix dans l'institution cinématographique et les dialogues (qu'on qualifie volontiers d'« étincelants » lorsqu'ils sont réussis) sont fortement valorisés, mis en relief par les mises en scène (voir Jeanson, Prévert, Spaak) et par les acteurs, souvent venus du théâtre (ici : Gérard Philipe, Micheline Presle, Jean Debucourt). *Passe ton bac d'abord* est un film d'auteur, écrit et réalisé par Maurice Pialat en décors naturels, avec des comédiens amateurs ou peu connus, dans un style faisant songer au reportage, au cinéma direct. Les personnages ont l'air de vivre, au fur et à mesure des scènes, un dialogue qui a pourtant bien été écrit.

A. Le Diable au corps

François a « séché » le lycée pour une escapade avec Marthe. Le matin, chez lui, il guette le passage du facteur, mais son père le devance à la grille...

Plan 1 : François et son père devant la grille, cadrés à mi-cuisses.	*Le père :* t'attendais une lettre ? *François :* oh non pas spécialement *P. :* tiens en voilà justement une qui t'intéresse elle vient du lycée. *F. :* oui oh bah celle-là
Le père lit la lettre.	*P. :* mais dis donc tu n'as pas été au lycée avant-hier ? pourquoi tu nous

---

* Voir Francis Vanoye, *Conversations publiques,* in « IRIS », op. cit, la parole au cinéma.

	as raconté des histoires ? *F. :* oh j'sais pas/ j'étais à Paris.
Les deux frères sortent.	*1ᵉʳ frère :* au r'voir p'pa.
	2ᵉ frère : au r'voir p'pa.
	P. : au r'voir les enfants / / François !
François sort aussi et s'éloigne	
Plan 2 : le père, plan rapproché de face, derrière la grille, avec François en amorce, à gauche de l'écran.	qu'est-ce qui s'passe depuis deux jours ? Y'a quelque chose qui n'va pas ? / /
Plan 3 : François, en P.R. de face, de l'autre côté de la grille, le père en amorce de dos, à droite de l'écran.	*F. :* j'peux pas t'dire/pas main- tenant. *P. :* c'est comme tu voudras.
Plan 4 : comme le plan 2.	à l'occasion penses-y.
Plan 5 : comme le plan 3.	*F. :* / / Papa / tu as une tache d'encre sur la joue (geste).
Plan 6 : comme le plan 2.	*P. :* (silence ; il s'essuie la joue).
Plan 7 : François s'éloigne dans la rue, en plan d'ensemble.	

Le dialogue est entendu (sans difficulté) et vu, les locuteurs presque toujours filmés de face (une seule réplique fait exception, « c'est comme tu voudras », mais le père est en amorce dans le champ, de dos). Les bruits sont limités, fonctionnels : pas des frères approchant de la grille, très légers, bruits de la grille, pépiements d'oiseaux, mais les voix sont très « en avant » de tout cela, par la grâce du mixage et de la postsynchronisation (probable). Par ailleurs on ne note aucun chevauchement de répliques, même si certaines d'entre elles sont très liées (« elle vient du lycée » / « oui oh bah celle-là ») : art consommé de l'intelligibilité du dialogue, dans l'articulation des répliques, aux divers sens du terme, en elles-mêmes et entre elles.

Le degré d'oralité de l'extrait est relativement important : écrasements et élisions (« t'attendais, j'sais, j'peux, y'a »), traits syntaxiques (« j'sais pas, pourquoi tu nous as »), connecteurs pragmatiques conservationnels (« oh non, tiens, oui, oh, mais dis donc »).

Néanmoins, le langage reste soutenu, surtout vers la fin du passage. L'effet dominant est de naturel.

Cependant, ce dialogue est bien dramatisé :

— dans son contenu, et par rapport à la situation de départ : on peut attendre un conflit entre le père et le fils, l'exclamation du père (François !) est violente ;

— dans son mouvement : le spectateur sait que François a « séché », il est « avec » lui (sur le plan du savoir...) ; François, par ses paroles, le ton de sa voix, son corps, exprime son envie de fuir le conflit ; mais lorsque père et fils se font face, le ton se radoucit, les voix et les regards changent (inquiétude / gêne teintée de culpabilité), le débit ralentit (noter les pauses / et //) ;

— dans sa « chute », bel exemple de « déplacement », de réplique où le contenu vaut infiniment moins que (vaut pour ?) la relation ; ce type de réplique, toujours très ancrée sur le concret, est un peu la spécialité des bons scénaristes classiques, européens ou américains ; elle exprime sans dire, elle transmet sans l'expliciter l'affect au spectateur ; elle se situe également dans une conception « pudique » des rapports « virils », très prégnante à l'époque (qu'en est-il aujourd'hui ?), soulignée ici par la redondance des gestes.

Cet échange « prépare » la grande scène au cours de laquelle le père aidera son fils à traverser l'épreuve de la « trahison » de Marthe.

Le découpage filmique, très lisible, obéit à la structure dramatique de la scène. Le plan 2 opère un rapprochement des personnages, correspondant au face à face, aux changements vocaux, à l'intensité des regards, à l'utilisation symbolique de la grille qui sépare le père du fils alors même qu'ils entament une relation difficile. L'image est ici, mais avec beaucoup de soin et de maîtrise, au service du dit, du non-dit (regards de G. Philipe, fuyants, de Debucourt, paternellement tendres) et des silences.

La scène n'existe pas dans le roman : le jeune homme intercepte la lettre du lycée. Plus tard, il avoue ses incartades à son père, qui lui répond avec douceur et générosité. Les relations sont donc à peu près les mêmes, mais dans le roman elles sont brièvement racontées par le fils, à la première personne, et très peu dialoguées (trois répliques, en tout, assorties de commentaires du narrateur). Les contraintes propres au récit filmique ont conduit à « scénariser » les relations père/fils, à les inscrire dans un contexte plus dynamique, plus spectaculaire (ici, scène de la grille, plus loin équipée nocturne vers le ponton où Marthe attend François), plus « extériorisé ». Le réalisme psychologique rend « naturels » au cinéma les dialogues qui ne constituent, dans le roman, qu'un recours occasionnel.

B. Passe ton bac d'abord

Le film se passe à Lens, parmi des fils et filles d'ouvriers censés préparer leur bac...

Plan 1 : Plan d'ensemble d'une salle de classe vue, en profondeur de champ, de la porte du couloir ; les élèves sortent ; la caméra panoramique vers la droite pour cadrer le couloir en enfilade ; Elisabeth y rencontre le prof. de philosophie.	Brouhaha *Elisabeth :* (...) j'viens pas bouffer avec toi (...) *Philippe :* non ? *Elis :* (...) on s'retrouve cet après-midi (...) *Le prof. :* bonjour *Elis. :* bonjour m'sieur dites-donc j (...) en dissertation mais j'ai rien compris. *Le prof. :* bah c'est pas grave on va parler d'tout ça vous v'nez ? *Elis. :* d'accord / *Le prof. :* m'ça c'est complètement idiot faut pas vous paniquer simplement euh...
Ils s'éloignent vers le fond du couloir.	
Plan 2 : plan rapproché d'Élisabeth de profil, attablé au café, face au prof., hors-champ. Bruits d'ambiance du café	... euh *Elis. :* non mais j'ai j'ai des idées ⦂ hein *Prof. :* ⦂ au lieu de *Elis. :* ⦂ c'est pas ça le problème j'sais pas comment les organiser quoi. *Le prof. :* au lieu d'appliquer une méthode vous lisez un ou deux bouquins sur Freud vous prenez des notes et puis voilà les choses se font euh d'elles-mêmes.
Plan 3 : plan du prof. attablé 3/4 face, avec sa cigarette à la main, lunettes teintées.	non pis c'est pas la peine deuheuh j'sais pas d'continuer à parler d'cette histoire de dissertation euh j'vous passerai des bouquins...

La suite de la réplique du prof. (« comme ça ça marchera ») chevauche la réplique d'Élisabeth dans le plan suivant, identique au plan 2.

Le signe (...) indique les mots inaudibles.

Le signe ⦂ indique des répliques qui se chevauchent.

Le dialogue est entendu, certes, mais parfois difficilement : les bruits d'ambiance (sortie des élèves, bruits du café, y compris une vague musique de fond) menacent sans cesse les paroles. Enregistrement direct de dialogues captés dans leur contexte d'émission, contribuant à « l'effet reportage », au climat de « naturalisme social » qui baigne tout le film. Le degré d'oralité est beaucoup plus élevé que dans la séquence précédemment étudiée. Outre les traits déjà relevés, plus fréquents, s'ajoutent : répétitions (« j'ai j'ai »), hésitations, marques phatiques (« euh »), anacoluthe (« c'est pas la peine j'sais pas d'continuer à parler »), chevauchements de répliques. Le vocabulaire est plus familier, la tonalité des voix plus proche du réel (il faudrait ici se livrer à une étude approfondie de la diction des comédiens dans les deux films, mais ce n'est pas une mince affaire ; chaque époque du cinéma français amène des « façons de dire » spécifiques, souvent saluées comme plus « naturelles » alors que le plus souvent, elles ne font, par la grâce de nouvelles techniques de jeu, que sonner plus juste aux oreilles contemporaines ; cependant, en 1985, la diction « nouvelle vague » nous paraît bien datée). Les gestes et mimiques des protagonistes sont moins soulignés, moins chargés de sens, comme fondus dans le décor. Toutefois les regards différencient les « places » que vont progressivement occuper l'élève et le professeur, celui-ci incertain dès qu'il s'aventure sur un autre terrain que le pédagogique, celle-là souriante, entière, directe, gentiment moqueuse. La suite de la séquence montrera l'échec du prof. à établir une relation plus intime avec la jeune fille (et d'ailleurs ambiguë : veut-il la draguer ? obtenir des confidences et se confier ?), celle-ci le remettant clairement à sa place, dans son univers d'adulte.

Dans cette sous-séquence apparemment toute simple, le traitement des rapports paroles/images est en fait assez complexe.

A la fin du plan 1, la dernière réplique du prof. est entendue en premier plan sonore, alors que le personnage est au fond du couloir. Si l'on prête l'oreille, on perçoit un changement de sonorité de la voix et le passage au plan 2 révèle que cette réplique est en fait prononcée dans le café et constitue donc une anticipation sonore du plan 2. La continuité verbale et thématique compense la discontinuité visuelle, procédé fréquent au cinéma. Au plan 2, le prof. est hors-champ, ses paroles sont entendues mais non vues, mais le passage au plan 3 s'opère dans le courant de sa réplique, au moment même où il propose de changer de sujet de conversation. Enfin, le passage du plan 3 au suivant et le chevauchement-relais de paroles sont concomitants. La dynamique du montage et celle du dialogue sont étroitement tissées. Mais l'énonciation des paroles n'est pas privilégiée par l'image : le plan 2 s'attarde sur Elisabeth écoutant le prof.

Ce montage sophistiqué est à la base du tempo de la scène et de l'impression de « pris sur le vif » qu'elle suscite.

Par rapport au dialogue, le spectateur n'est pas situé de la même manière dans le film de Pialat et dans celui d'Autant-Lara. Dans *Le diable au corps*, le moment le plus intense de la dramatisation correspond à une forme de champ/contre-champ (plan 2, 3, 4; 5, 6), induisant un régime d'identification alterné : le spectateur participe affectivement au drame. Dans *Passe ton bac d'abord*, nul champ/contre-champ, un plan rapproché profil (2) de l'élève puis un plan rapproché de 3/4 du prof (3), l'ensemble induisant, pour le spectateur, une position tierce, médiane, laissant comme en « réserve » sa participation éventuelle, ses identifications : la relation lui est donnée à voir.

Deux esthétiques bien différentes, comme on voit, produites de :
— techniques de tournages, d'enregistrement et de mixage très éloignées les unes des autres (studio, post-synchronisation, comédiens chevronnés *versus* décors naturels, enregistrement direct, comédiens amateurs) ;
— approches et conceptions du dialogue très contrastées (écrit dans les deux cas, mais plus soucieux du mot, du geste signifiant, du texte, au sens dramaturgique du mot chez Aurenche/Bost/Autant Lara, plus proche de la parole, dans ses aspects rituels, sociaux, relationnels chez Pialat).

6.3. Le narré écrit

Nous nous bornerons ici à la narration des événements. Le schéma des actions se dessine, sur le modèle fourni par Propp puis Bremond (voir 86 et 22), en relevant les verbes d'actions, en les rapportant aux sujets et en respectant les perspectives de chaque personnage. On perçoit alors les passages d'un personnage à l'autre, les rôles de chacun (importance et nature : agent/patient, allié/ennemi, etc.), les types d'enchaînement d'actions (lié/non lié, détaillé/elliptique, logique/non-logique, etc.). Il serait fastidieux de schématiser un récit entier, à moins qu'il fût très court. Quelques pages représentatives de l'ensemble ou caractéristiques d'une technique d'enchaînement suffisent.

Texte A. *La clé de verre*, de Dashiell Hammett (1949).

L'œil ouvert de Ned Beaumont fixa un regard de haine sur le visage de l'homme qui l'interrogeait.

O'Rory répéta :

« C'est moi, c'est O'Rory, qui vous parle. Vous entendez ce que je dis, Beaumont ? »

Avec difficulté, les lèvres boursouflées de Ned Beaumont articulèrent :

« Oui.

— Bon. Alors, écoutez-moi. Vous allez me dire tout ce que vous savez sur Paul. »

Il parlait d'une voix nette, mais sans élever le ton.

« Vous croyez peut-être que non, mais vous allez le faire. Sinon, je vais vous arranger jusqu'à ce que vous vous décidiez. Vous me comprenez ? »

Ned Beaumont sourit. L'aspect de son visage rendit ce sourire horrible.

« Rien à faire », articula-t-il.

O'Rory se redressa et dit :

« Allez-y ! »

Rusty parut hésiter, mais le simiesque Jeff écarta d'une pichenette la main levée de Ned Beaumont et le rejeta sur le lit.

« J'ai justement un petit truc à essayer », dit-il.

Empoignant les deux jambes de Ned Beaumont, il les replia sur le lit. Il se pencha ensuite sur son corps et ses mains s'affairèrent.

Le corps, les bras et les jambes de Ned se tendirent et se détendirent violemment à trois reprises et il poussa un long gémissement. Puis il demeura immobile.

Jeff se redressa et ses mains lâchèrent le corps inerte. Il respirait bruyamment. Sa bouche de singe béait. Il grommela d'un ton mi-indigné, mi-plaintif.

« Le voilà encore parti dans les pommes ! »

Texte B. *La jalousie*, de Robbe-Grillet (1957).

Elle ferme ensuite les deux autres fenêtres. Mais elle ne baisse aucune des jalousies.

Elle s'assied devant la table-coiffeuse et se contemple dans le miroir ovale, immobile, les coudes posés sur le marbre et les deux mains appliquées de chaque côté du visage, contre les tempes. Pas un de ses traits ne bouge, ni les paupières aux longs cils, ni même les prunelles, au centre de l'iris vert. Ainsi figée par son propre regard, attentive et sereine, elle paraît ne pas sentir le temps passer.

Penchée sur le côté, le peigne d'écaille à la main, elle refait sa coiffure avant de venir à table. Une partie des lourdes boucles noires pend sur la nuque. La main libre y plonge ses doigts effilés.

A... est allongée sur le lit, tout habillée. Une de ses jambes repose sur la couverture de satin ; l'autre, fléchie au genou, pend à demi sur le bord. Le bras, de ce côté, se replie vers la tête, qui creuse le traversin. Etendu en travers du lit très large, l'autre bras s'écarte du corps d'environ quarante-cinq degrés. La figure est tournée vers le plafond. Les yeux sont encore agrandis par la pénombre.

Près du lit, contre la même cloison, se trouve la grosse commode. A... est debout, devant le tiroir supérieur entrouvert, sur lequel elle s'incline pour chercher quelque chose, ou bien pour en ranger le contenu. L'opération est longue et ne nécessite aucun déplacement du corps.

Elle est assise dans le fauteuil, entre la porte du couloir et la table à écrire. Elle relit une lettre qui conserve les sillons très apparents d'un pliage en huit. Les longues jambes sont croisées l'une sur l'autre. La main droite tient la feuille en l'air devant le visage ; la gauche enserre l'extrémité de l'accoudoir.

A... est en train d'écrire, assise à la table près de la première fenêtre. Elle s'apprête à écrire, plutôt, à moins qu'elle ne vienne de terminer sa lettre. La plume est demeurée suspendue à quelques centimètres au-dessus du papier. Le visage est relevé en direction du calendrier fixé au mur.

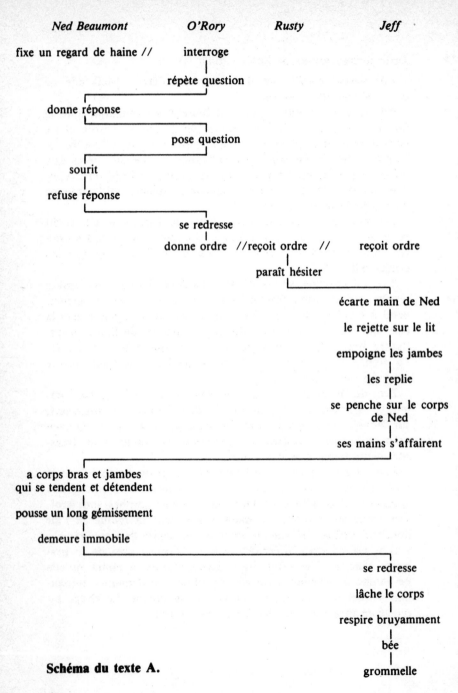

Ned Beaumont	O'Rory	Rusty	Jeff
fixe un regard de haine //	interroge		
	répète question		
donne réponse			
	pose question		
sourit			
refuse réponse			
	se redresse		
	donne ordre //reçoit ordre //		reçoit ordre
	paraît hésiter		
			écarte main de Ned
			le rejette sur le lit
			empoigne les jambes
			les replie
			se penche sur le corps de Ned
			ses mains s'affairent
a corps bras et jambes qui se tendent et détendent			
pousse un long gémissement			
demeure immobile			
			se redresse
			lâche le corps
			respire bruyamment
			bée
			grommelle

Schéma du texte A.

4 personnages en scène

L'action se déplace du dialogue O'Rory-Ned aux tortures dispensées par Jeff, subies par Ned. Rusty est présent mais n'agit pas. L'enchaînement est logique (ordre → exécution, question → réponse ou refus de réponse). Le déplacement de l'agent (Jeff) au patient (Ned) permet de ne pas préciser les gestes de Jeff (autocensure ou effet d'indétermination angoissante ?). Actions nombreuses, relativement détaillées (ou plutôt : décomposées) caractéristiques du roman noir américain.

Schéma du texte B

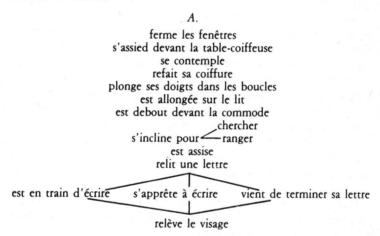

A.
ferme les fenêtres
s'assied devant la table-coiffeuse
se contemple
refait sa coiffure
plonge ses doigts dans les boucles
est allongée sur le lit
est debout devant la commode
s'incline pour chercher / ranger
est assise
relit une lettre

est en train d'écrire   s'apprête à écrire   vient de terminer sa lettre

relève le visage

Description et narration sont presqu'inextricablement liées.

L'enchaînement des actions (toutes présentées au présent) n'est pas entièrement logique. Chaque paragraphe semble indiquer une action ou un état sans rapport évident avec le précédent ou le suivant. Enfin certaines actions sont indéterminées (mentionnées comme « possibles »). Flottement du sens.

L'écriture contraint à l'expression successive des actions. Deux événements ou actions simultanés ne peuvent être exposés que l'un après l'autre, leur simultanéité étant indiquée par une marque conventionnelle (« au même instant... »).

Narré

Par ailleurs, les rapports des actions aux personnages d'une part, au réel diégétique d'autre part, s'expriment par la combinatoire des verbes, sujets et compléments :

voie active / voie passive

indicatif / subjonctif

présent, passé / futur / conditionnel

Dans l'extrait de *La clé de Verre*, par exemple, une action est annoncée dans le discours de O'Rory :

« ... je vais vous arranger... », futur proche, action mise au compte de celui qui parle ;

puis l'ordre est donné par le même O'Rory : « Allez-y », impératif, action déplacée sur ceux à qui l'ordre est donné ;

enfin l'action est accomplie : « ... ses mains s'affairèrent », passé simple narratif, action perpétrée par le seul Jeff, subie par Ned. L'action annoncée est donc bien actualisée dans le texte, mais il est important de faire la distinction entre celui qui l'ordonne, celui qui l'exécute et celui qui ne fait rien (Rusty) ; cette distinction recouvre la hiérarchie des personnages selon deux critères (chef / exécutant, plus sadique / moins sadique) et révèle un aspect significatif de la distribution des personnages dans le roman noir américain (chefs truands hauts placés, toujours « blancs comme neige », intouchables / tueurs mercenaires plus ou moins psychopathes, boucs-émissaires).

Dans le texte de Robbe-Grillet, les actions sont au présent (données comme s'accomplissant « réellement »), mais deux d'entre elles sont indéterminées :

1. « ... elle s'incline pour chercher quelque chose, ou bien pour en ranger le contenu ».

2. « A. est en train d'écrire (...) Elle s'apprête à écrire, plutôt, à moins qu'elle ne vienne de terminer sa lettre ». Dans les deux cas, la posture de A. n'est pas remise en question : « ... elle s'incline ... assise à la table ... la plume est demeurée suspendue ... le visage est relevé ». C'est l'interprétation de ces postures qui est indéterminée, leur mise en relation avec une action (chercher, ranger) ou le moment de cette action (être en train, s'apprêter, terminer). Nous sommes conduits à penser que l'instance narrative voit certaines choses mais ne sait pas tout ce qui concerne A. (voir l'emploi du verbe *paraître* au parag. 2).

70

× *6.4. Le narré filmique*

Sans négliger les cas de prise en charge partielle de la narration par un texte écrit (pages de livre ou de journal, déroulant, encart, etc.) ou dit (voix off d'un narrateur anonyme ou participant à l'histoire), nous pouvons globalement considérer que le narré filmique est communiqué par de l'image et du son qui se caractérisent par l'immédiateté de leur action. Des comportements sont donnés à voir, des paroles et des bruits à entendre. Appliquer la méthode d'analyse des actions de Bremond au cinéma implique que l'on fasse un détour par la transposition écrite de ce qui est filmé. Or ce détour n'est pas nécessairement pertinent : là où l'image livre d'emblée une foule d'informations, le mot sélectionne ; là où le verbe signifie l'action, l'image la montre. D'autre part, si l'on excepte les plans montrant un seul individu agissant, l'image filmique nous montre plusieurs actions simultanées. Les dimensions de l'écran, les ressources de la profondeur de champ permettent de multiplier les actions :

— Dans *La Règle du Jeu*, Jean Renoir exploite ces possibilités pour nous montrer des actions simultanées : au plan 107 (« Avant-Scène », p. 30), Christine essaie de clarifier auprès des invités de la Collinière ses relations avec Jurieu ; elle parle, à côté de l'aviateur, tous deux cadrés en plan rapproché-taille ; Robert, son mari, et Octave viennent en arrière-plan, visibles entre les deux personnages ; pendant que Christine parle, le spectateur peut observer les gestes et mimiques des deux hommes, inquiets de ce qui se passe. Voir aussi **Photo 1**.

— Dans *Marnie*, Hitchcock nous montre dans un seul plan divisé par une cloison légère qui partage l'espace d'un bureau, son héroïne qui vole de l'argent dans un coffre et une femme de ménage pénétrant sans bruit dans la pièce voisine pour y accomplir sa besogne. Voir **Photo 2**.

Il est clair qu'aucune transcription écrite de ces scènes ne peut rendre compte de leur charge dramatique (plutôt amusante dans le premier cas, relevant du « suspense » dans le second), fondée justement sur la simultanéité. On sait que certains cinéastes ont même utilisé des découpages de l'écran pour montrer

— des actions différentes, se déroulant en des lieux ou des moments différents

— des actions simultanées

— une seule action décomposée (dans *Grand Prix*, de John Frankenheimer (1966), l'écran horizontalement partagé nous montre les voitures tournant sur la piste ou le visage des coureurs en haut, les mouvements des mains sur le levier des vitesses et des pieds sur les pédales en bas).

Isoler des actions, c'est, la plupart du temps, réduire le matériau filmique. A parler justement, le film ne « narre » pas, il montre, nous l'avons dit. Cependant, il peut être intéressant, à condition de ne pas être dupe de ce que l'on fait, d'opérer ces réductions pour mettre à jour certaines constantes concernant les actions ou les comportements chez un cinéaste ou dans une production donnée. Répondre aux questions « qui fait quoi ? », « comment fait-on ? », « que montre-t-on de ce qui est fait ? que cache-t-on ? pourquoi ? », est toujours éclairant. Ainsi de l'acte de tuer, par exemple, dans un western ou un thriller (ou un ensemble de films de ce genre), ou de l'acte d'embrasser dans toutes sortes de films. La mise en relation d'une action déterminée avec des rôles donnés (l'Indien, le Hors-la-loi, le shérif ; les « jeunes premiers » ; etc.) et des situations récurrentes définit comme un espace sociologique et idéologique de l'action, d'autant plus prégnant sur le spectateur qu'il lui est donné à voir. Le fait de ne jamais voir au cinéma (si ce n'est pour exprimer le grotesque ou le plus ou moins dégoûtant) des couples ayant dépassé la cinquantaine s'embrasser amoureusement (scènes de tendresse non absentes des récits écrits) serait à étudier

— par rapport aux valeurs véhiculées par les films d'un pays et d'une époque donnés

— par rapport au fonctionnement de la censure (directe et indirecte)

— par rapport aux effets produits sur les spectateurs. Mais il est certain que le caractère visuel du cinéma a rapidement privilégié la jeunesse et la beauté. On peut noter, à ce propos, que l'évolution de certains types de personnages du « négatif » au « positif » s'accompagne le plus souvent d'un changement physique (les indiens prennent le visage de Robert Taylor — *La Porte du Diable*, d'A. Mann — ou de Burt Lancaster — *Bronco Apache*, de R. Aldrich ; ils substituent à un faciès patibulaire et grimaçant des visages nobles et dignes : *Les Cheyennes*, de J. Ford).

La raréfaction des actions chez certains cinéastes (Bresson, Garrel, Duras, Helman) correspond à une raréfaction des mouvements des personnages, comme frappés d'aboulie, et, le plus souvent, à un allongement de la durée des plans (prédominance des plans fixes). Alors que le dépouillement narratif est analytiquement perçu à l'écrit (et engendre souvent des récits brefs), il est physiquement ressenti au cinéma : *Un Homme qui Dort*, de Georges Pérec, est un texte de 180 pages imprimées en assez gros caractères et un film (de Bernard Queysanne) d'une durée normale. C'est que l'absence d'action laisse vacant le temps de perception visuelle : l'immobilité se transmet de l'écran à l'œil et au corps du spectateur.

Les moments d'accélération du récit (voir 11.2.2.) permettent de montrer que le film communique une quantité d'informations plus importante que la juxtaposition de verbes d'action : voir la scène de la course-poursuite dans le *Nosferatu* de Murnau (enchaînement rapide des images, Syntagme narratif alterné — voir 5.3. —, mais aussi contrastes de lumières, de cadrages et de décors entre Nosferatu et J. Harker) ; voir la fin de *Zéro de conduite* de Jean Vigo (« L'Avant-Scène » n° 21, p. 27 : contraste entre le travelling latéral descriptif accentuant le grotesque des officiels et les plans courts des enfants bombardant l'assemblée qui se désagrège puis le long plan final des enfants montant vers le ciel).

7. LA PONCTUATION

L'approche de la ponctuation du récit nous permettra de saisir plus globalement le texte écrit et le texte filmique et l'organisation de leurs espaces respectifs.

7.1. *Généralités*

Les grammairiens distinguent généralement deux emplois de la ponctuation écrite : **logique** (indique le regroupement des mots), **expressif** (exprime des intentions stylistiques).

Un troisième emploi est lié aux nécessités du récit (mais tout aussi présent dans la poésie) : **démarcatif** (marque les articulations du récit, sépare les parties.) Ces trois usages sont d'ailleurs répertoriés dans la définition que le Petit Robert donne de la ponctuation : « Système de signes servant à indiquer les divisions d'un texte, à noter certains rapports syntaxiques ou certaines nuances affectives ».

Aux signes de ponctuation (point, virgule, tiret, etc.), il faut donc ajouter les divisions en paragraphes ou alinéas, les « blancs » divers et les variations de caractères (italiques, grasses, capitales), qui remplissent ces différents offices. On distinguerait alors une micro-ponctuation (niveau de la phrase) et une macro-ponctuation (niveau du texte).

De même, dans le texte filmique, certains éléments marquent la séparation entre les séquences*. Ce sont, traditionnellement, le fondu au noir, le fondu enchaîné, les effets de flou, l'utilisation de volets, rideaux, iris (voir *Le cabinet du Dr Caligari* : chaque séquence s'ouvre et se ferme « à l'iris », c'est-à-dire par ouverture et fermeture progressive du diaphragme). Mais ces « signes » ne sont pas forcément ou pas seulement démarcatifs : ils peuvent aussi intervenir comme moyens expressifs ou purement ponctuatifs au cœur même d'une séquence. Enfin il faut ajouter à la liste ci-dessus les démarcations introduites par des « blancs » ou des intertitres.

Nous proposons donc, s'agissant du texte filmique, de distinguer également une macro-ponctuation, essentiellement démarcative, et intervenant entre les séquences, et une micro-ponctuation, le plus souvent expressive ou rythmique, à l'intérieur d'une séquence (il s'agit ici d'une ponctuation-scansion).

A l'intérieur d'une séquence, les plans*, sauf effets spéciaux

---

* Nous entendrons par séquence : une unité relativement autonome et constituant un tout du point de vue de l'intrigue. La séquence peut être constituée de plusieurs plans ou d'un seul plan (plan-séquence), continue ou discontinue (montage alterné ou parallèle : voir exemple de *La règle du jeu* traité plus haut, et 5.3.)
Sur la séquence, voir (61), p. 121-134 et (81).

* Nous entendons par plan
● au tournage, ce qui est obtenu entre le moment où l'on déclenche le moteur de la caméra et le moment où on l'arrête.
● dans l'état définitif du film, l'espace filmique compris entre deux collures (réalisées au montage).
Un plan de tournage peut être écourté, bien sûr, mais aussi scindé au montage, et séparé par d'autres plans.

déjà signalés, s'enchaînent par coupe franche. C'est alors dans la façon de réaliser ces coupes, de monter les images que se manifeste la ponctuation : enchaînement rapide de nombreuses images, alternances entre des plans courts et des plans longs, alternance entre plans éloignés et gros plan brusque, entre plans fixes et mouvements d'appareil, etc. A l'intérieur même d'un plan, on peut considérer que, par exemple, le passage du fixe (caméra immobile, acteur immobile) au mouvant (mouvement d'appareil et/ou mouvement du comédien) constitue une ponctuation de la scène. Nous sommes ici dans le domaine de la micro-ponctuation, très liée au dialogue, au jeu des comédiens, aux mouvements du récit. Il semble bien que la ponctuation cinématographique soit essentiellement démarcative, rythmique et expressive. Son rôle logique (au sens où les grammairiens utilisent le mot) s'efface du fait qu'il n'existe pas, à proprement parler, de syntaxe cinématographique (on sait que les « grammaires » du cinéma varient considérablement avec les théoriciens et les époques). C'est donc bien plus à la grammaire du récit que la ponctuation filmique est soumise, qu'à une logique de regroupement des plans analogue à la logique de regroupement des mots (laquelle se fonde essentiellement sur des nécessités de la communication).

Christian Metz fait remarquer que la ponctuation écrite ne se perçoit pas (on lit un texte écrit sans « remarquer » les virgules, les points, etc.) alors que la ponctuation filmique (qu'il n'envisage que dans sa fonction démarcative) sollicite la perception (elle « dure ») (66). De notre point de vue, la micro-ponctuation filmique ne se remarque pas non plus, surtout si les règles de montage traditionnel sont respectées. La coupe franche opère une rupture de continuum perceptif corrigée par divers procédés (raccord dans le mouvement, par exemple, qui rétablit sur le plan diégétique la continuité brisée de l'image). Les effets expressifs et rythmiques n'en demeurent pas moins. Par ailleurs la macro-ponctuation des textes écrits est bien perçue : blancs, répartition des paragraphes, variations typographiques. Toutefois nous ne chercherons évidemment pas d'équivalences entre les signes de ponctuation écrite et les « signes » de ponctuation filmique. Les guillemets indiquent que nous ne pensons pas qu'il existe de signe de ponctuation filmique puisque tous les procédés démarcatifs, expressifs ou rythmiques du cinéma peuvent être utilisés à d'autres fins (le fondu enchaîné pour indiquer la succession dans le temps ou la continuité spatiale ou le passage au rêve, etc.). En somme la ponctuation écrite est, en gros, normalisée, alors que la ponctuation filmique ne saurait l'être : on découvre de nouveaux procédés, un procédé a plusieurs utilisations.

Signalons d'autres procédés ponctuatifs propres au cinéma :

— l'utilisation de la « voix-off ». Qu'elle soit intra ou extra-diégétique, l'intervention régulière ou irrégulière d'une voix-off (qui narre, commente, décrit) peut avoir un effet ponctuatif (voir *La Comtesse aux pieds nus*, 10.2. et 11.2.1.).

— L'utilisation d'un leitmotiv musical. On a suffisamment usé et abusé de ce procédé pour qu'il ne soit pas besoin d'insister. A vrai dire, la qualité de la ponctuation musicale nous paraît déterminée par ... la qualité de la musique elle-même, cela va sans dire, mais aussi par l'utilisation non mécaniste et non univoque qui en est faite (par exemple, dans *M.* de Fritz Lang, le sifflotement de Peter Lorre a des fonctions démarcatives évidentes, mais il est situé dans la diégèse et à des moments différents de celle-ci : il acquiert de ce fait une charge dramatique énorme).

— Les inter-titres dont la fonction est démarcative (titres des sketches, des « parties », des « tableaux » filmiques), rythmique (voir les intertitres d'*Octobre* d'Eisenstein). Ce dernier exemple montre les efforts de certains cinéastes pour intégrer des procédés empruntés à la littérature (titres et sous-titres) au défilement visuel du film.

7.2. Exemples

1. *Une partie de campagne* de Maupassant (1881).

Nous avons affaire ici à une ponctuation classique. Laissant de côté l'aspect logique, grammatical (au niveau de la phrase) de la question, essayons de préciser l'organisation de cette ponctuation par rapport aux éléments du récit. Le texte est divisé en paragraphes assez courts. L'édition A. Michel ménage deux blancs, à la fin du récit, pour marquer les deux sauts temporels (« Deux mois après... », « L'année suivante... »)*. Les divisions en paragraphes marquent le passage de la narration à la description, structurent

---

* *Le livre de poche*, p. 202-203. Ed. A. Michel, tome I, p. 382-383.

les descriptions longues (le voyage), isolent les portraits (Mme Dufour, Henriette, les canotiers), scandent les actions des personnages (le repas). Les répliques isolées sont insérées dans les paragraphes, les dialogues développés s'étalent sur la page blanche.

A partir de la découverte du rossignol, les changements de paragraphes sont régis par l'alternance Henri-Henriette/le rossignol. Et la description de l'étreinte des deux jeunes gens est métonymiquement « déplacée » vers la description du chant du rossignol. Le « montage » du texte est donc fonction du récit (narré/décrit/dialogué, focalisation sur l'un ou l'autre personnage, actions) de ce qu'il exprime et de ce qu'il censure.

2. *Une partie de campagne* de Jean Renoir (1936-1946)

Les plans sont montés en coupe franche jusqu'à la séquence du déjeuner sous le cerisier. Un fondu au noir (« Avant-Scène » n° 21, p. 37) vient alors marquer le passage du temps (ellipse du déjeuner). Un second fondu (enchaîné, celui-ci) sépare le très gros plan du visage d'Henriette d'un plan moyen d'Henri et Henriette allongés (ellipse de l'étreinte). Enfin un fondu au noir précède le carton « Des années ont passé... » (p. 41). Dans le système de ponctuation du film, les fondus au noir sont seulement des marques temporelles alors que l'unique fondu enchaîné indique, par contraste avec les fondus au noir et les coupes franches, l'importance de l'événement non montré (préparé par l'enchaînement plan moyen → rapproché → gros plan → très gros plan). La scansion des actions et les passages d'un personnage ou groupe de personnages à un autre se font par coupes franches et/ou montage alterné (ex. : le couple Henri-Rodolphe et la famille Dufour, les couples Henri-Henriette/Mme Dufour-Rodolphe).

Un exemple de ponctuation interne à un plan : Henri et Rodolphe sont à table, dans l'auberge, devant une fenêtre aux volets fermés ; après une réplique concernant les pastis, Rodolphe ouvre les volets et l'on aperçoit les Dufour autour des balançoires (p. 33), la fenêtre délimitant alors une sorte de plan dans le plan. Jean Renoir est coutumier de ces effets de profondeur de champ, de même que du jeu sur les hors-champ : l'entrée d'un personnage dans le champ (ou la sortie) peut également ponctuer le récit (voir, dans la séquence des canotiers cédant leur place sous le cerisier aux Dufour, le plan de remerciements ponctué par la sortie du champ de M. Dufour, Mme Dufour, Anatole, l'entrée de dos de Henri, l'amorce de sortie d'Henriette qui se retourne sur Henri et sort enfin). Certains mouvements d'appareil enfin (panoramiques et travellings descriptifs du début, travelling subjectifs de la promenade en yole, etc.) ponctuent le récit (par opposition aux plans fixes ou par leur enchaînement : les travellings de l'orage sont de plus en plus rapides).

3. *Histoire* de Claude Simon (1967)*.

Le texte de Claude Simon n'est pas ponctué de manière classique. L'utilisation des signes, des majuscules, etc. ne correspond pas aux normes des grammairiens. Les signes sont rares, les paragraphes débutent parfois par des minuscules, parfois par des majuscules et ne se terminent que rarement par un point. On songe à la ponctuation d'auteurs plus soumis aux particularités de la langue orale, à la diction propre aux acteurs qu'à la logique fixée par les grammaires. Cette ponctuation épouse les mouvements de l'énonciation du narrateur. Le récit est haché, interrompu parfois en milieu de phrase, constitué parfois de collages de phrases ou membres de phrases (voir p. 140). Les caractères mêmes varient : capitales, italiques (pp. 118-121), lettres inversées (p. 334). Les dialogues se distinguent sur la page, mais sans les signes habituels qui en facilitent la lisibilité (p. 373). Pourtant le texte est divisé en 12 parties, discernables par les blancs qui les séparent, mais le plus souvent étroitement enchaînées (pp. 203-204, 356-357). Ponctuation rythmique, cassant le récit plus qu'elle ne l'unifie, caractéristique d'une histoire en train de se faire, de s'écrire, difficilement.

4. *Cris et chuchotements* d'Ingmar Bergman (1973)**

Nous retiendrons seulement quelques procédés de ponctuation dans ce film :
— Des plans différents mais au signifié identique : pendules, horloges, cadrans ou battants d'horloges, etc. On voit ici qu'un plan peut en lui-même servir à la ponctuation d'un film (ainsi la seconde partie de *Barry Lindon*, de Stanley Kubrick, 1976, est

---

* Editions de Minuit.
** « L'Avant-Scène » n° 142, décembre 1973.

ponctuée de plans généraux de la demeure des Lyndon prise sous des angles et éclairages divers, en des saisons ou moments de la journée différents). Ce sont là deux exemples de ponctuation à la fois démarcative (ces plans indiquent des articulations du récit) et expressive (valeur symbolique de l'objet filmé dans le premier cas, de l'atmosphère dans le second). Le plan-ponctuation s'intègre parfois si bien au récit qu'il apparaît alors comme une sorte de plan-motif (ex. : les portes fermées, ouvertes par Anna).

— Des bruits : tic-tacs et sonneries d'horloge, amenés au « premier plan sonore », parfois même sans que l'image montre l'instrument ; chuchotements, respirations, halètements, pleurs, cris. Même valeur expressive de ces bruits (tic-tacs et battements du cœur).

— Des fondus à la fermeture et à l'ouverture, qui ont ici la particularité d'être colorés — leurs fonctions sont multiples :
 • ils ferment les séquences de façon régulière ;
 • ils introduisent aux séquences de souvenirs (ou de phantasmes ?) selon un processus répété : fin de séquence → fondu au rouge → gros plan de l'actrice → fondu au rouge → début de la séquence-souvenir (voir dans « L'Avant-scène », p. 40, le souvenir de Karin ; ici on note la conjonction de la série ci-dessus et de la fermeture de porte, d'une sonnerie de pendule, de gémissements off ; à la fin de la séquence-souvenir : fondu à la fermeture → gros plan de Karin, sonnerie et cris off → fondu à la fermeture — Voir, de même, p. 30 à 35, le souvenir de Maria—)

Cependant le souvenir d'Agnès (p. 26) est introduit par un plan rapproché de celle-ci, avec travelling sur une robe blanche et fondu enchaîné sur la mère en robe blanche. De même (p. 48) la dernière séquence, évocation d'un jour de bonheur pour Agnès, est introduite par un fondu enchaîné sur Agnès toute vêtue de blanc. L'alternance rouge/blanc paraît bien ponctuer et exprimer l'alternance malheur/bonheur. Enfin la séquence du « réveil » de la morte, introduite comme séquence de souvenir (p. 45), se termine par le plan célèbre d'Anna demi-nue tenant Agnès couchée.

— Des gestes : caresse de la main sur la joue (Agnès et sa mère, Joakim et sa femme Maria), geste repris et multiplié dans *Face à Face* du même Bergman (1976).

Le caractère multicodique du cinéma permet de superposer les « signes » de ponctuation (*Cris et chuchotements* se clôt par un fondu à la fermeture accompagné d'un bruit off de sonnerie de pendule). Bergman a utilisé ces divers procédés pour faciliter la lisibilité de son film, en jouant de la redondance et de la répétition. Mais les mêmes procédés peuvent au contraire être intégrés à une structuration beaucoup plus complexe ou ambiguë : nous songeons notamment à *Persona* (1966) où musique, écran blanc, fondus enchaînés, etc. dessinent un espace confondant représentation, rêves et phantasmes.

8. LA DESCRIPTION

Le Petit Robert indique que la description est l'« énumération des caractères de quelque chose » et, « dans une œuvre littéraire, Passage qui évoque la réalité concrète ». Par ailleurs, le même dictionnaire mentionne deux sens du terme décrire : 1) Représenter dans son ensemble 2) Tracer ou suivre (une ligne). On note l'hésitation entre une fonction purement référentielle de la description (« énumération des caractères », « réalité concrète ») et une fonction représentative (liée d'ailleurs, dans l'article *Décrire*, aux termes *Dépeindre, Peindre, Raconter, Représenter*). Mais, dans tous les cas, la description paraît être l'aboutissement d'un mouvement qui va de la chose représentée (du réel, du référent) à sa représentation (par des mots, par exemple). Cette conception de la description est globalement acceptable lorsqu'on pense à des fiches techniques ou à des articles d'encyclopédie, textes dans lesquels les mots sont effectivement soumis au réel qu'ils ont pour mission de transcrire pour l'information du lecteur. Mais dans un récit la référence au « réel » est beaucoup plus ambiguë ou aléatoire : il s'agit d'un « réel de fiction ». Ce n'est donc pas par rapport à la réalité que la description est à lire, mais par rapport à l'ensemble du récit, aux codes linguistiques et narratifs mis en œuvre et définissant l'espace du vraisemblable propre à chaque récit. Nous ne référons pas une description de la jungle amazonienne à un réel ignoré de nous, mais à elle-même en tant qu'ensemble de signifiants constituant la chose représentée (nécessité de comprendre, de décoder les termes) et dans ses rapports au reste du texte (possibilité d'intégration de la description).

8.1. Lignes de démarcation de la description écrite

La description est l'un des instruments privilégiés de la représentation littéraire (qui se réalise au plus près dans le dialogue — voir ch. 6.1.). La plupart des analystes définissent la description en l'opposant à l'action : la description serait un arrêt du récit, une mise en suspension du temps diégétique, un piétinement de l'action. L'attention est arrêtée, fixée sur un objet (visage, corps, paysage, etc.). Gérard Genette (41) désigne la description comme « une pause » (p. 58), un élément qui « semble suspendre le cours du temps et contribue à étaler le récit dans l'espace » (p. 59). En fait Genette modifie ensuite cette idée (42) : « toute description ne fait pas nécessairement pause dans le récit » (p. 129), et distingue les pauses descriptives (mais toute pause n'est pas descriptive, dans un récit) des descriptions qui ne font qu'opérer un changement de vitesse dans le récit (la vitesse d'un récit étant définie comme le rapport entre la durée de l'histoire (mesurée en secondes, minutes, années, etc.) et la longueur du texte (mesurée en lignes ou pages) (p. 122 et sq.). Ainsi la description se démarquerait par un ralentissement (qui peut aller jusqu'à l'arrêt complet dans la succession des actions du récit), une sorte de dilatation du temps diégétique. Mais il faut ajouter que la description, bien que toujours diégétique (puisqu'elle porte sur des objets de l'histoire), peut se situer dans une sorte de « hors-temps » (avant, par exemple, que l'histoire ne commence vraiment, c'est-à-dire que ne s'enclenche la première action : voir certaines descriptions de Balzac).

Linguistiquement, et en simplifiant beaucoup, ce changement de vitesse se manifeste par une rupture de l'enchaînement des verbes d'action et une expansion des syntagmes nominaux (substantif + adjectif) accompagnés de verbes d'état et d'adverbes et locutions « localisateurs ».

Ex. *Julie Romain* (extrait)

Je suivais à pied, voici deux ans au printemps, le rivage de la Méditerranée. Quoi de plus doux que de songer, en allant à grands pas sur une route ? On marche dans la lumière, dans le vent qui caresse, au flanc des montagnes, au bord de la mer !

Et on rêve ! Que d'illusions, d'amours, d'aventures passent, en deux heures de chemin, dans une âme qui vagabonde ! Toutes les espérances, confuses et joyeuses, entrent en vous avec l'air tiède et léger ; on les boit dans la brise, et elles font naître en notre cœur un appétit de bonheur qui grandit avec la faim, excitée par la marche. Les idées rapides, charmantes, volent et chantent comme des oiseaux.

Je suivais ce long chemin qui va de Saint-Raphaël à l'Italie, ou plutôt ce long décor superbe et changeant qui semble fait pour la représentation de tous les poèmes d'amour de la terre. Et je songeais que depuis Cannes, où l'on pose, jusqu'à Monaco où l'on joue, on ne vient guère dans ce pays que pour faire des embarras ou tripoter de l'argent, pour étaler, sous le ciel délicieux, dans ce jardin de roses et d'orangers, toutes les basses vanités, les sottes prétentions, les viles convoitises, et bien montrer l'esprit humain tel qu'il est, rampant, ignorant, arrogant et cupide.

Tout à coup, au fond d'une des baies ravissantes qu'on rencontre à chaque détour de la montagne, j'aperçus quelques villas, quatre ou cinq seulement, en face de la mer, au pied du mont, et devant un bois sauvage de sapins qui s'en allait au loin derrière elles par deux grands vallons sans chemins et sans issues peut-être. Un de ces chalets m'arrêta net devant sa porte, tant il était joli : une petite maison blanche avec des boiseries brunes, et couverte de roses grimpées jusqu'au toit.

Et le jardin : une nappe de fleurs, de toutes les couleurs et de toutes les tailles, mêlées dans un désordre coquet et cherché. Le gazon en était rempli ; chaque marche du perron en portait une touffe à ses extrémités, les fenêtres laissaient pendre sur la façade éclatante des grappes bleues ou jaunes ; et la terrasse aux balustres de pierre, qui couvrait cette mignonne demeure, était enguirlandée d'énormes clochettes rouges pareilles à des taches de sang.

On apercevait, par-derrière, une longue allée d'orangers fleuris qui s'en allait jusqu'au pied de la montagne.

Sur la porte, en petites lettres d'or, ce nom : « Villa d'Antan. »

in *La Petite Roque* de Guy de Maupassant
Livre de poche, p. 147-148

Le schéma est simple :
Je suivais → je songeais → tout à coup (...) j'aperçus quelques villas → un de ces chalets m'arrêta net → [description de la maison et du jardin] → je me demandais → un cantonnier cassait des pierres → je lui demandais... On note la progression quantitative des éléments descriptifs qui viennent peu à peu envahir l'action jusqu'à l'arrêter : la description suivie coïncide avec l'arrêt du marcheur. La reprise des actions s'effectue à partir de l'interrogation intérieure du narrateur.

Cette page appelle plusieurs remarques :
— On peut considérer que la description suivie de la maison et du jardin est une explicitation de l'action de regarder, et qu'en ce sens il n'y a pas véritablement ralentissement du récit : c'est ce qui se passe chaque fois que la description est faite du point de vue d'un personnage qui focalise son attention sur un objet (et dont l'occupation est, précisément, de regarder, contempler, admirer, etc.).

— Certains éléments narratifs sont en eux-mêmes descriptifs : « un cantonnier cassait des pierres sur la route, un peu plus loin », par exemple. Comme le notait G. Gennette (41, p. 57), aucun substantif ni même aucun verbe « n'est tout à fait exempt de résonance descriptive ». Cependant la description connaît des expansions diverses, selon les genres narratifs ou les besoins de la narration. Dans l'exemple cité, le texte ne s'attarde pas sur le cantonnier et ses gestes : simple élément fonctionnel (c'est lui qui fournira au narrateur le nom de Julie Romain), il n'est que désigné en l'esquisse d'une description. Nous proposerons de distinguer la désignation simple de la description.

— La structure d'ensemble d'une description suivie peut être définie comme un développement lexical à partir d'un thème.
Le thème introducteur « déclenche l'apparition d'une série de sous-thèmes, d'une nomenclature dont les unités constitutives sont en relation métonymique d'inclusion avec lui (...) Chaque sous-thème peut également donner lieu à une expansion prédicative, soit qualificative, soit fonctionnelle qui fonctionne comme une glose de ce sous-thème » (48).

Dans la page citée de *Julie Romain*, on a :

Description

Thèmes	Sous-thèmes	Prédicats
		joli chalet
		petite
		blanche
		couverte de roses
	boiseries	brunes
	toit	
la maison	marche du perron	portait une touffe
	les fenêtres	laissaient pendre
		grappes bleues ou jaunes
	la terrasse	aux balustres de pierre
		qui couvrait la demeure
		était enguirlandée
	fleurs	de toutes les couleurs
		de toutes les tailles
		mêlées dans un désordre coquet
		et cherché
		touffes
le jardin		grappes bleues ou jaunes
		énormes clochettes rouges
		orangers fleuris
	gazon	rempli (de fleurs)
	allée	longue
		orangers fleuris
		qui s'en allait

Le thème (ou le sous-thème) constitue une sorte de programmation lexicale : *jardin* « appelle » *fleurs, gazon, perron, terrasse,*
allée ; *fleurs* appelle *couleurs* (→ bleu, jaune, rouge), *touffe,*
grappe, clochette, etc. On a vu que décrire, c'était suivre une
ligne : la description suit en effet « la ligne d'écriture », spatiale-
ment et lexicalement. L'exploitation du champ lexical propre à
un thème ou sous-thème dépend des possibilités et des objectifs
de l'écrivain. On sait que certains (Zola, Huysmans, Ponge...)
travaillent avec dictionnaires et encyclopédies et dressent des listes
de mots dont certains seulement seront retenus, pour des raisons
diverses (sens, connotations, sonorités, etc.)

Le lexique convoqué peut être strictement spécialisé (termes techniques, par exemple), faire appel à des figures (métaphores, comparaisons), à des termes plus ou moins attendus et stéréotypés.

La clôture dans le texte du champ lexical marque la fin de la description. En fait ce n'est pas toujours aussi simple : dans l'extrait de *Julie Romain,* les thèmes du jardin, des fleurs s'annoncent avant la description proprement dite et continueront à se développer après. La description manifeste une densité lexicale particulière, une focalisation du vocabulaire sur thèmes ou sous-thèmes.

Dans divers textes (voir 88, 89, 90), Jean Ricardou cerne une problématique de la description écrite, dont nous résumons quelques aspects. La description se débat en plein paradoxe : les exigences de la « fidélité » au réel voudraient qu'elle multiplie les détails, mais son expansion excessive non seulement met le récit en péril de piétinement, mais, bien plus, est anti-représentative en ce qu'elle étire dans la temporalité et la spatialité de l'écriture un objet dont les constituants sont proches et vus en simultanéité. L'ampleur de la description se restreint donc par imprécision et/ou élimination, selon l'impression d'ensemble recherchée.

On pourra étudier ce processus dans les trois descriptions citées de *La Cousine Bette* :

Hulot jeune

L'ordonnateur en chef était d'ailleurs en homme, une réplique d'Adeline en femme. Il appartenait au corps d'élite des beaux hommes. Grand, bien fait, blond, l'œil bleu et d'un feu, d'un jeu, d'une nuance irrésistibles, la taille élégante, il était remarqué parmi les d'Orsay, les Forbin, les Ouvrard, enfin dans le bataillon des beaux de l'Empire. Homme à conquêtes et imbu des idées du Directoire en fait de femmes, sa carrière galante fut alors interrompue pendant assez longtemps par son attachement conjugal.

Hulot à 50 ans

Chez le baron, rien, il faut en convenir, ne sentait le vieillard : sa vue était encore si bonne qu'il lisait sans lunettes ; sa belle figure oblongue, encadrée de favoris trop noirs, hélas !

offrait une carnation animée par les marbrures qui signalent les tempéraments sanguins ; et son ventre, contenu par une ceinture, se maintenait, comme dit Brillat-Savarin, au majestueux. Un grand air d'aristocratie et beaucoup d'affabilité servaient d'enveloppe au libertin avec qui Crevel avait fait tant de parties fines. C'était bien là un de ces hommes dont les yeux s'animent à la vue d'une jolie femme, et qui sourient à toutes les belles, même à celles qui passent et qu'ils ne reverront plus.

Hulot vieux

Vingt minutes après, un vieillard, qui paraissait âgé de quatre-vingts ans, aux cheveux entièrement blancs, le nez rougi par le froid dans une figure pâle et ridée comme celle d'une vieille femme, allant d'un pas traînant, les pieds dans des pantoufles de lisière, le dos voûté, vêtu d'une redingote d'alpaga chauve, ne portant pas de décoration, laissant passer à ses poignets les manches d'un gilet tricoté, et la chemise d'un jaune inquiétant, se montra timidement, regarda le fiacre, reconnut Lisbeth, et vint à la portière.

Hulot jeune. Impression d'ensemble à produire : un bel homme ; éléments retenus : taille, cheveu, œil, corps dans sa globalité ; vocabulaire imprécis (beau, bien), mais accent mis sur l'œil par le jeu d'écho sur bleu, feu, jeu...

Hulot à 50 ans. Impression d'ensemble recherchée : l'encore-beau... Détails plus nombreux et hétérogènes : physiques (figure, carnation, favoris, ventre), physiologiques (vue, tempérament et marbrures), sociaux (air d'aristocratie, affabilité, yeux qui s'animent). Equilibre entre les traits positifs (imprécis) et les traits négatifs (plus précis : favoris trop noirs, ventre contenu), ambigus : c'est une description perfide.

Hulot vieux. Enumération de traits dénotant ou connotant la vieillesse, la pauvreté, le délabrement : physique (cheveux blancs, figure ridée, dos voûté), vestimentaire, social. Noter que la description est programmée en son début par les termes *vieillard* et *quatre-vingts ans*.

On relèvera les traits suivis ou non suivis : par ex., les cheveux (blond, favoris trop noirs, cheveux entièrement blancs), le maintien (taille élégante, ventre au majestueux, pas traînant et dos voûté), l'œil (bleu + feu + jeu + nuance, vue bonne), etc.

Ricardou souligne que la recherche de l'effet d'ensemble fait passer l'incomplétude obligée de toute description. Il faudrait ajouter que l'effet d'ensemble est à mettre en relation avec le contexte et, notamment, les besoins de la diégèse. (Pour d'autres exemples, voir Ricardou).

8.2. La description filmique : première approche

Le mot (en tant que signe) désigne, l'image montre. Ce que jamais la succession des mots ne parvient à épuiser (par exemple les traits et expressions d'un visage ou les éléments d'un paysage), l'image le donne à voir d'emblée, immédiatement — à moins qu'elle ne découpe, morcelle l'objet sans (ou avant de) en livrer l'ensemble à la perception. Tout plan serait donc descriptif (comme tout substantif, tout verbe, etc.). Cependant nous distinguerons une fois encore, la désignation de la description, réservant cette dernière appellation à certaines formes d'insistance (d'emphase, au sens premier, non péjoratif, du mot). Ainsi un plan de visage ou de paysage est descriptif, mais la description proprement dite se structure

— de la durée du plan (il n'y a pas, en ce domaine, de « durée standard », c'est par différenciation avec d'autres plans du même film ou des plans de films du même genre, ou du même réalisateur, qu'on « sentira » la durée du plan et qu'on pourra le lire comme description ; mais tous les plans longs n'ont pas qu'une fonction descriptive...) ;

— du nombre de plans affectés au même objet : la description, de même que la narration des actions, peut faire l'objet d'un *découpage* au sens cinématographique et au sens courant du mot ;

— de mouvements d'appareil : le travelling et le panoramique surtout sont, dans le cinéma narratif traditionnel, les moyens descriptifs privilégiés. Notons que le panoramique réalise bien l'arrêt sur pied de la caméra qui décrit le mouvement, alors que le travelling implique un déplacement du « corps » de l'appareil et s'intègre généralement, de ce fait dans la diégèse. Cette remarque s'inscrit dans le présupposé selon lequel la description opère un changement de vitesse du récit (au cinéma la vitesse se définit comme le rapport entre la durée diégétique et le métrage de pellicule, lequel s'appréhende plutôt en mesure de temps qu'en mesure de longueur...), pouvant aller jusqu'à l'arrêt complet de la diégèse. Toutefois le film ne s'arrête jamais (le défilement de la pellicule en tout cas : il existe des arrêts sur image, des images fixes ; *La jetée* de Chris Marker est un film narratif en photos fixes) et l'on peut se demander si le « piétinement » diégétique existe vraiment au cinéma. D'autant que l'image entre en combinaison avec les paroles, les sons, la musique. Ceux-ci peuvent contribuer à édifier la description (bruits d'eau, d'automobiles, chants d'oiseau ; musique codée connotant la « nature bucolique » ou « l'enfer des villes », etc.), mais ils participent aussi de la narration (ainsi on voit souvent des plans d'ensemble, descriptifs, montrant, par exemple, un couple parcourant une plage — image, bruit de la mer, cris des mouettes... — avec, en premier plan sonore, un dialogue qui continue l'histoire : c'est d'ailleurs une fonction fréquente du décalage des plans sonores et visuels de permettre une description en continuant l'action)*. On voit que c'est à travers les relations narration/dialogue/description que s'appréhende la description filmique. On peut évidemment, s'agissant d'un objet quelconque (corps, objet, maison, etc.), voir dans la succession

    plan d'ensemble → série de plans rapprochés

        ou

    plan d'ensemble → plan rapproché et mouvement d'appareil

        ou

    série de plans rapprochés → plan d'ensemble (ou travelling arrière)

un avatar des thèmes et sous-thèmes de la description écrite (et les prédicats ? ils se donnent à voir), mais cette micro-structure opère rarement un arrêt complet du temps diégétique**.

---

* Le plan visuel peut être éloigné (plan d'ensemble ou de grand ensemble) alors que le plan sonore est rapproché (on entend les personnages parler comme s'ils étaient « là »).

** On cite traditionnellement, à ce propos, le *Méditerranée* de Jean-Daniel Pollet, film constitué de plans autonomes ne formant pas narration mais plutôt une sorte de description filée (le commentaire se situant « à côté » des images).

Quelques exemples pour éclairer cette problématique.

Exemple 1. La maison dans *Psychose* d'Alfred Hitchcock.

La description (on devrait dire le dévoilement) de la maison de Norman Bates (Anthony Perkins) dans *Psychose* se déroule en 8 étapes d'inégales longueurs (séparées par d'autres séquences, bien entendu) :

1. La maison est vue, en plan d'ensemble, de l'extérieur, par Marion (Janet Leigh) (4 plans courts).

2. Maison vue de l'extérieur en plan d'ensemble, puis de l'intérieur, escalier et corridor jouxtant l'escalier, cuisine, avec Norman : 4 plans courts.

3. 2 plans d'ensemble de la maison vue de l'extérieur, avec Norman.

4. 1 plan d'ensemble de la maison vue de l'extérieur par Arbogast, le « privé » (Martin Balsam).

5. Longue séquence du meurtre d'Arbogast : la maison est vue de l'extérieur, en plans de plus en plus rapprochés, par Arbogast, puis de l'intérieur, escalier, corridor, palier du 1er étage, avec Arbogast ($\simeq$ 20 plans).

6. Séquence avec Norman : 1 plan d'ensemble de l'extérieur puis escalier et palier du 1er étage avec Norman (5 plans, dont 1 avec long mouvement d'appareil).

7. 1 plan de grand ensemble du motel et de la maison vus par Sam (John Gavin) et Lila (Vera Miles).

8. Longue séquence avec Lila : maison vue de l'extérieur en plans de plus en plus rapprochés, puis de l'intérieur : escalier, chambre du premier étage avec objets, autre chambre mansardée, escalier, corridor, escalier de la cave, cave (+ de 60 plans). Cette séquence peut être découpée en 4 sous-séquences délimitées par les interruptions, en montage parallèle, montrant Sam et Norman discutant pendant que Lila explore la maison :

Ss a. Lila hors et dans la maison
Ss b. Lila dans la chambre de la mère
Ss c. Lila dans la chambre du fils
Ss d. Lila dans la cave.

La découverte de la maison se fait parallèlement au dévoilement de l'énigme, du secret de Norman Bates. Le plan d'ensemble de la maison est une sorte de leitmotiv visuel, à fonction descriptive mais aussi narrative (il inaugure une séquence et se charge, après chaque meurtre, de menaces plus lourdes) et symbolique (la maison comme lieu du secret : on remarque d'ailleurs qu'à la séquence 8 la maison est vue de face et non de trois quarts face, ce changement d'angle annonçant peut-être le succès du personnage de Lila tout en rendant le « face à face » encore plus effrayant). La maison est vue *par* un personnage (plans subjectifs des séquences 1, 4, 5, 7 et 8) ou *avec* un personnage (2, 3, 6 : notons qu'il s'agit de Norman), les deux procédés pouvant se mêler (séquences 5 et 8). Il n'y a pas de plans subjectifs de la maison vue par Norman : il connaît le secret de la maison, elle n'est donc pas mystérieuse, opaque pour lui, comme elle l'est pour les autres personnages et les spectateurs, et Hitchcock ne triche pas. Il s'opère une progression dans le nombre des éléments décrits : Marion ne voit que l'extérieur de la maison, Arbogast l'extérieur, l'escalier et le palier, Lila les deux chambres et la cave. Le spectateur a pu voir la cuisine du corridor, mais partage en gros le « savoir » de chaque personnage sur la maison. Noter cependant qu'il en sait plus qu'Arbogast et Lila, après le meurtre de Marion, sur les dangers qui attendent les visiteurs : cette « avance » est la condition du frisson... Ce n'est donc qu'avec Lila que se dévoile pour lui l'énigme.

Un exemple de découpage de la description : la sous-séquence b).

1 plan d'ensemble de la chambre vide : on voit lustre, lit, sol, armoire, coiffeuse, lavabo.

↓

Lila en plan américain, regarde vers la droite de l'écran

↓

plan rapproché du lavabo avec objets (savon, verre et carafe)

↓

Lila, en plan américain, de trois quarts face avance dans la chambre et regarde vers la gauche

↓

plan de la cheminée avec fauteuil apprêté

↓

plan d'ensemble de la chambre avec Lila de dos se dirigeant vers l'armoire

↓

Lila, en demi-ensemble, de dos ouvre une armoire pleine

↓

Changement d'angle : Lila, en demi ensemble, referme l'armoire, se retourne, approche et regarde vers le bas

↓

plan d'ensemble d'une coiffeuse chargée d'objets

↓

plan rapproché sur deux mains sculptées (moulées ?) entourées d'objets (brosse, glace, vaporisateur, flacons)

↓

gros plan sur les deux mains

↓

plan américain de Lila de dos devant le miroir de la coiffeuse ; on voit son reflet dans ce miroir et celui de l'armoire placée derrière : elle se retourne brusquement, apeurée

↓

plan d'ensemble : reflet de Lila dans la glace de l'armoire

↓

plan rapproché de Lila, en profil gauche, elle se tourne et regarde vers la droite

↓

plan du lit : on aperçoit la forme d'un corps dont le poids a laissé un creux

↓

plan d'ensemble : Lila, de 3/4 face, touche le creux du lit et se redresse face à la caméra

Découpage semblable dans la séquence Sc c) : Voir **Photos 3 à 15**

1 plan d'ensemble : Lila, en profil droit, pénètre par la gauche dans la chambre (on voit chaise, meubles, phono, fenêtre mansardée...)

↓

plan rapproché de Lila en profil droit

↓

gros plan d'une poupée sur une auto-jouet

↓

Description

plan rapproché de Lila qui se tourne et regarde vers le bas
↓
gros plan d'un vieux lapin en peluche, de face
↓
plan d'ensemble : le vieux lapin, trois quarts face est sur un lit de camp défait
↓
plan d'ensemble : table avec phono et disques
↓
gros plan de l'étiquette du disque posé sur le plateau : on peut lire « Beethoven, Eroica »
↓
plan demi-ensemble : Lila, de face, se redresse ; la main sur le couvercle levé du phono, elle va vers un meuble chargé de livres et en prend un
↓
gros plan du livre (ou d'un cahier ?) dans la main de Lila : elle l'ouvre
↓
Lila, plan rapproché face, lit

Voir *Psycho*, edited by R.J. Anobile, « Picador », Pan Books LTD, p. 222 à 231.

Tous ces éléments décrits sont vus par Lila et prennent sens par rapport à l'ensemble du film : les objets (savon, vêtements), le creusement du lit attestent une présence ; les jouets, le disque indiquent l'enfance/adolescence prolongée de Norman. Des objets énigmatiques : le moulage des mains, le cahier (on ne sait pas ce que Lila y lit). On voit qu'ici le mouvement descriptif est doublement fonctionnel : il dévoile et perpétue l'énigme, il est un épisode palpitant du film (inquiétudes de Lila, sa frayeur devant le miroir). Mais on voit que le découpage permet de focaliser l'attention du spectateur sur des objets qu'il n'a pas forcément sélectionné, repéré dans le plan d'ensemble (les objets sur le lavabo, les mains, le creux du lit) ; l'image montre d'emblée, mais des procédures de focalisation sont nécessaires pour rendre la description efficace, fonctionnelle. C'est pourquoi nous ne poserons pas comme il serait tentant de la faire, d'équivalence entre

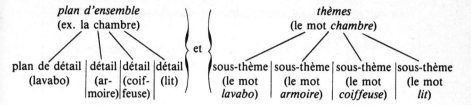

et ce pour deux raisons :

1. L'image d'ensemble livre d'emblée les détails, et les plans suivants ne font que sélectionner et insister sur certains d'entre eux, alors que le mot thème *chambre,* si, comme nous l'avons vu, il peut laisser prévoir certains sous-thèmes, ne les comprend pas nécessairement : ceux-ci ne s'actualiseront qu'au fur et à mesure de l'apparition dans le texte des mots correspondants ; la programmation du plan d'ensemble est beaucoup plus contraignante que celle du mot (à moins que l'on ne joue d'objets cachés, invisibles, etc.) ;

2. Les prédicats écrits s'actualisent dans des mots, alors que sur l'image ils sont consubstantiels à l'objet représenté : cela signifie que si un lecteur ne peut pas ne pas voir (lire) les mots *d'argent, usagé* s'ils sont écrits, peut ne pas voir, remarquer, relever ces prédicats affectés à un objet représenté (le lapin en peluche, par exemple).

Aucune de ces séquences n'opère de changement de vitesse dans le récit.

Exemple 2. *La règle du jeu* de Renoir, « L'Avant-scène », p. 50.

P. 264 - Im. 372

Sur la fanfare plan d'ensemble en plongée de la salle prise de biais du côté du piano. Les quatre chanteurs barbus saluent sous les applaudissements, entraînés par Robert. Ils se retirent. Le rideau se ferme. Robert reste seul en scène.

P. 265 - Im. 753

Plan rapproché dans l'axe, légère contreplongée. Plan moyen de Robert ému qui sourit. Il a le trac mais est fier.

Robert. Mes chers amis, je vais avoir le plaisir de vous présenter ma dernière acquisition. Et... elle est l'aboutissement de ma carrière de collectionneur d'instruments musicaux et mécaniques.

> Je crois que la chose vous plaira..., j'vous laisse juges ! (Rires.)
> Un !
>
> Le rideau s'ouvre. Le limonaire à trois personnages apparaît.
> Cris d'admiration. (Ph. 19.)
>
> *Robert. Deux !*
>
> Air du limonaire alors que les ampoules s'allument (Musique.)
> Robert bat la mesure et va se mettre à gauche trois quarts dos...,
> puis s'accoude à l'instrument.
>
> *P. 266 - Im. 151*
>
> Contreplongée en plan très rapproché du haut de l'instrument :
> une femme naïvement peinte, dans une guirlande d'ampoules.
>
> *P. 267 - Im. 689*
>
> Toujours en contreplongée, lent travelling latéral sur les auto-
> mates (en plan américain). Le premier fait sonner une clochette,
> le second bat la mesure, le troisième agite une clochette. On
> découvre enfin Robert en plan rapproché-poitrine qui s'éponge
> avec son mouchoir. Il est fier de son succès. La musique s'achève.

L'objet est annoncé par les mots de Robert, qui restent vagues.
L'image d'ensemble se substitue aux mots : le limonaire est
donné à voir, puis à entendre (description « audio-visuelle » :
nous ne voulons pas dire par là que l'écoute d'un son constitue
une description de ce son, mais que, dans le cas présent, l'écoute
des sons produits par le limonaire participe de la description de
l'appareil en tant qu'instrument musical et mécanique ; la production de ces sons est bien par ailleurs un acte posé, dans la
diégèse, par le marquis ; d'une façon générale c'est la combinaison des sons/bruits/musique avec l'image qui permet de l'intégrer comme élément descriptif ; le son avant l'image a plus une
fonction informative que descriptive, il annonce l'objet —
humain ou non —, est l'indice de son existence). Les deux plans
suivant le plan d'ensemble décrivent l'instrument dans le détail
(schéma classique donc : objet annoncé par dialogue → objet vu
en ensemble → détails). Mais le travelling latéral (qui décrit
l'appareil au sens matériel du terme), aboutissant à Robert, met
dans le même plan et au même niveau les trois automates et le
marquis de la Chesnaye, dérisoire pantin. Ce qui était description

d'un limonaire devient en fait description d'un personnage (insistance, à la fin du plan 267, sur le visage grotesque du marquis). Cette courte séquence opère un ralentissement effectif des actions enchevêtrées de *la Règle du jeu* (elle s'inscrit, malgré tout, dans le spectacle donné par une partie des invités du château, spectacle à la faveur duquel les relations entre les personnages se cristallisent) mais contribue à édifier le personnage et à donner sens au film.

8.3. *Fonctions de la description*

Les théoriciens du récit (Barthes, Genette, Hamon, Metz) nous aident à dresser un répertoire (sans doute incomplet) des fonctions de la description. Comment chacune de ces fonctions s'actualise-t-elle à l'écrit et à l'écran ?

8.3.1. Fonction esthétique ou décorative. Genette (*Figures II*, p. 58) rappelle que la description est une des figures de style répertoriées par la rhétorique classique parmi les ornements du discours (voir les descriptions dans l'épopée homérique ou les œuvres baroques du 17e siècle). Dans cette perspective la description est beaucoup plus soumise aux contraintes esthétiques qu'au réalisme. Barthes (6, p. 86) cite et analyse, à ce propos, la description de Rouen dans *Madame Bovary*, « morceau de bravoure » dont la fonction est essentiellement de se faire admirer du lecteur en tant que tel, d'attirer l'attention non sur Rouen mais sur la construction d'ensemble (« C'est une scène peinte que le langage prend en charge ») et les « bonheurs » d'expression, métaphores, comparaisons, etc. On résumerait assez bien la fonction de ce type de description — jamais tout à fait absente des longues descriptions — voir plus bas les citations de Zola et Huysmans — jamais tout à fait « pure », malgré tout, de narrativité — en concluant qu'elle ne fait que dire : « je suis une description ».

Dans un film, nous transposerions volontiers en « je suis une belle image ». Chaque fois, en effet, que la caméra semble s'attarder sur un visage, une pièce d'intérieur, un objet, un paysage sans que les impératifs narratifs (ou réalistes) l'exigent, les plans ont une fonction esthétique, l'attention du spectateur se centre d'abord peut être sur la beauté de l'objet représenté, puis sur l'image elle-même (cadrage, effets de lumières ou d'éclairages, couleurs, etc.). Dans le pire des cas nous avons affaire à un « cinéma de photographe » (le film n'est plus qu'une succession de belles images), dans le meilleur des cas le cinéma s'exalte lui-même (nous pensons, entre autres, à certaines séquences descriptives des films de Max Ophuls : le début du *Masque* dans *Le plaisir*, *Madame de...*, *Lola Montès*).

8.3.2. Fonction d'attestation. La description manifeste la réalité d'objets seulement signalés dans le texte, leur conférant l'épaisseur du concret, la présence du réel. L'ordre du récit réaliste est généralement le suivant : l'objet est nommé, il est décrit, on l'utilise. Dans les récits à la première personne, cet ordre s'actualise ainsi : je vois → je décris → j'agis sur ou avec, ce qui équivaut à « je rends réel ce que je nomme ». Dans le passage de *Julie Romain* cité plus haut (voir 8.1.), l'enchaînement est exemplaire ; tout se passe comme si le narrateur ne dirigeait plus son récit mais était gouverné par la réalité qui s'impose à lui et qu'il est dès lors obligé de décrire. Dans les récits à la 3ᵉ personne, c'est l'instance narrative, voix autorisée, qui décrit, et la description prend souvent l'allure d'un document ou d'un reportage. On trouve, dans ces séquences descriptives, les « effets de réel » produits, selon la définition de R. Barthes, par la présence de détails « inutiles » au déroulement même de l'action ou à la connaissance de ses composantes, détails superflus qui dénotent « ce qui a eu lieu », qui « ne disent finalement rien d'autre que ceci : nous sommes le réel » (6, p. 88) et sont les instruments de l'illusion référentielle.

Exemple. *Le père Amable.*

Au bord d'un chemin, sur un tas de hardes, un tout petit enfant, assis les jambes ouvertes, jouait avec une pomme de terre qu'il laissait parfois tomber dans sa robe, tandis que cinq femmes, courbées et la croupe en l'air, piquaient des brins de colza dans la plaine voisine. D'un mouvement leste et continu, tout le long du grand bourrelet de terre que la charrue venait de retourner, elles enfonçaient une pointe de bois, puis jetaient aussitôt dans ce trou la plante un peu flétrie déjà qui s'affaissait sur le côté, puis elles recouvraient la racine et continuaient leur travail.

LA RÈGLE DU JEU, de Jean Renoir

Photo Star-Films

PHOTO 1 : Profondeur de champ et actions simultanées
Au fond : Paulette Dubost et Jean Renoir. *En avant :* Roland Toutain et Marcel Dalio.

MARNIE, d'Alfred Hitchcock

Photo Cahiers du Cinéma

PHOTO 2 : Découpage de l'espace du plan : simultanéité des actions, suspense.
A droite : Tippi Hedren.

I

Vera Miles dans *PSYCHOSE*, d'Alfred Hitchcock

PHOTO 3 : Plan éloigné

PHOTO 4 : Plan rapproché   PHOTO 5 : Gros plan   PHOTO 6 : Plan rapproché

II

PHOTO 7 : Même plan rapproché   PHOTO 8 : Gros plan

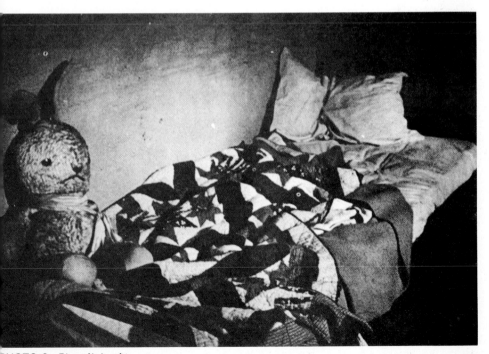

PHOTO 9 : Plan éloigné

III

PHOTO 10 : Plan éloigné

PHOTO 11 : Gros plan

PHOTO 12 : Plan éloigné

PHOTO 13 : Même plan éloigné

PHOTO 14 : Gros plan

PHOTO 15 : Même gros plan

PHOTO 16 : Plan rapproché

LA RÈGLE DU JEU, de Jean Renoir

PHOTO 17 : Dalio, Renoir et l'oiseau mécanique (plan 47)

PHOTO 18 : Dalio, Renoir et le gramophone (plan 65)

Deux plans descriptifs qui « préparent » le plan 267.

V

UNE PARTIE DE CAMPAGNE, de Jean Renoir

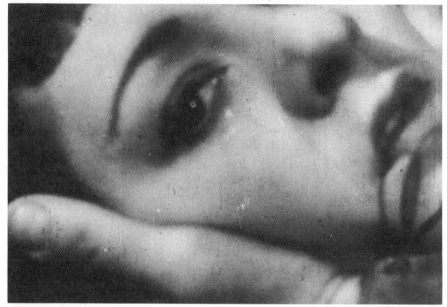

PHOTO 19 : Très gros plan du visage de Sylvia Bataille

PHOTO 20 : Henri (Georges Darnoux) et Henriette (Sylvia Bataille)

UNE PARTIE DE CAMPAGNE, de Jean Renoir

Photo *Star Films*

PHOTO 21 : Rodolphe (J.-B. Brunius) et Mme Dufour.

PSYCHOSE, d'Alfred Hitchcock

A propos du point de vue...

Photo Cahiers du Cinéma

PHOTO 22 :
Suspense
avec Janet Leigh :
le spectateur voit
avec le personnage
l'argent volé ; le policier
le verra-t-il aussi ?

PHOTO 23 :
Plongée verticale :
le meurtre d'Arbogast
(Martin Balsam).

Photos The Film Classics Library

PHOTO 24 :
Plongée verticale :
Norman (A. Perkins)
met sa mère en lieu sûr.

Une information (« cinq femmes (...) piquaient des brins de colza ») est suivie de la description du mouvement des femmes. Seule une de ces femmes est appelée à être de nouveau mentionnée, puis nommée (Céleste), puis à jouer un rôle central dans le récit, les quatre autres sont un « effet de réel » ; quant à la description de leurs mouvements, elle explicite l'information « piquaient des brins de colza » et connote la valeur documentaire du récit.

Dans les récits à la troisième personne, la « réalité » des objets est accentuée par l'utilisation du point de vue. Dans *La petite Roque*, par exemple, on passe du point de vue omniscient du narrateur (voir les premiers paragraphes du récit et la synecdoque révélatrice de ce point de vue : « sa blouse passait... ») à une vision « par-derrière » (« il ouvrait l'œil »). Alors que le facteur Médéric marche « sans rien voir » au début du récit, sa cécité s'interrompt : nous passons du négligeable au notable (ou plutôt au « descriptible ») (voir 10.1.1.).

Le piéton Médéric Rompel, que les gens du pays appelaient familièrement Médéri, partit à l'heure ordinaire de la maison de poste de Roüy-le-Tors. Ayant traversé la petite ville, de son grand pas d'ancien troupier, il coupa d'abord les prairies de Villaumes pour gagner le bord de la Brindille, qui le conduisait, en suivant l'eau, au village de Carvelin, où commençait sa distribution.

Il allait vite, le long de l'étroite rivière qui moussait, grognait, bouillonnait et filait dans son lit d'herbes, sous une voûte de saules. Les grosses pierres, arrêtant le cours, avaient autour d'elles un bourrelet d'eau, une sorte de cravate terminée en nœud d'écume. Par places, c'étaient des cascades d'un pied, souvent invisibles, qui faisaient, sous les feuilles, sous les lianes, sous un toit de verdure, un gros bruit colère et doux ; puis plus loin, les berges s'élargissant, on rencontrait un petit lac paisible où nageaient des truites parmi toute cette chevelure verte qui ondoie au fond des ruisseaux calmes.

Médéric allait toujours, sans rien voir, et ne songeant qu'à ceci : « Ma première lettre est pour la maison Poivron, puisque j'en ai une pour M. Renardet ; faut donc que je traverse la futaie. »

Sa blouse bleue serrée à la taille par une ceinture de cuir

noir, passait d'un train rapide et régulier sur la haie verte des saules ; et sa canne, un fort bâton de houx, marchait à son côté du même mouvement que ses jambes.

Donc, il franchit la Brindille sur un pont fait d'un seul arbre, jeté d'un bord à l'autre, ayant pour unique rampe une corde portée par deux piquets enfoncés dans les berges.

La futaie, appartenant à M. Renardet, maire de Carvelin, et le plus gros propriétaire du lieu, était une sorte de bois d'arbres antiques, énormes, droits comme des colonnes, et s'étendant, sur une demi-lieue de longueur, sur la rive gauche du ruisseau qui servait de limite à cette immense voûte de feuillage. Le long de l'eau, de grands arbustes avaient poussé, chauffés par le soleil ; mais sous la futaie, on ne trouvait rien que de la mousse, de la mousse épaisse, douce et molle, qui répandait dans l'air stagnant une odeur légère de moisi et de branches mortes.

Médéric ralentit le pas, ôta son képi noir orné d'un galon rouge et s'essuya le front, car il faisait déjà chaud dans les prairies, bien qu'il ne fût pas encore huit heures du matin.

Il venait de se recouvrir et de reprendre son pas accéléré quand il aperçut, au pied d'un arbre, un couteau, un petit couteau d'enfant.

Comme il le ramassait, il découvrit encore un dé à coudre, puis un étui à aiguilles deux pas plus loin.

Ayant pris ces objets, il pensa : « Je vas les confier à M. le maire » ; et il se remit en route ; mais il ouvrait l'œil à présent, s'attendant toujours à trouver autre chose.

Soudain, il s'arrêta net, comme s'il se fût heurté contre une barre de bois ; car, à dix pas devant lui, gisait, étendu sur le dos, un corps d'enfant, tout nu, sur la mousse. C'était une petite fille d'une douzaine d'années. Elle avait les bras ouverts, les jambes écartées, la face couverte d'un mouchoir. Un peu de sang maculait ses cuisses.

Livre de poche, p. 7 à 9

Le maire sortit à son tour, prit son chapeau, un grand chapeau mou, de feutre gris, à bords très larges, et s'arrêta quelques secondes sur le seuil de sa demeure. Devant lui s'étendait un vaste gazon où éclataient trois grandes taches, rouge, bleue et blanche, trois larges corbeilles de fleurs épanouies, l'une en

face de la maison et les autres sur les côtés. Plus loin, se dressaient jusqu'au ciel les premiers arbres de la futaie, tandis qu'à gauche, par-dessus la Brindille élargie en étang, on apercevait de longues prairies, tout un pays vert et plat, coupé par des rigoles et des haies de saules pareils à des monstres, nains trapus, toujours ébranchés, et portant sur un tronc énorme et court un plumeau frémissant de branches minces.

A droite, derrière les écuries, les remises, tous les bâtiments qui dépendaient de la propriété, commençait le village, riche, peuplé d'éleveurs de bœufs.

Livre de poche, p. 12-13

C'est par rapport à la situation spatiale des personnages que la description, suivant les lois de la perspective issue de la Renaissance, s'organise. En fin de compte, l'anthropocentrisme de la description atteste sa « vérité ». Il va sans dire que ses relations avec le reste du récit (actions, dialogues) se doivent de consolider cette vérité : la description confirme ce qui la précède, est confirmée par ce qui suit.

Dans un récit écrit, l'effet de réel est en quelque sorte facultatif, il est un supplément, dont certains auteurs peuvent multiplier les manifestations (allant jusqu'à la prolifération baroque du détail « inutile » : mais nous voici alors ramenés au cas précédent, la description ayant valeur esthétique), ou, au contraire, les raréfier (*Manon Lescaut*, en première approximation, apparaît comme un récit pauvre en effet de réel, le détail y est généralement fonctionnel ou significatif, sur le plan psychologique par exemple). Dans le cinéma narratif, en revanche, l'effet du réel est comme « obligé », il est quantitativement beaucoup plus important qu'à l'écrit. A tel point que les films qui les éliminent donnent immédiatement, selon les critiques, dans la « stylisation » ou le « dépouillement », c'est-à-dire dans le symbolisme (exemples : *Le cabinet du docteur Caligari* de Wiene, *Marguerite de la nuit* de Claude Autant Lara, les films de Robert Bresson...). Cependant tous ces films contiennent des effets de réel dans la mesure où les décorateurs ont placé, ça et là, des objets, des détails « inutiles », qui ont pour fonction de remplir le décor et de contribuer à son authentification (y compris dans l'inauthentique). A fortiori, les films narratifs plus réalistes multiplient les effets de réel : l'image montre un décor (naturel ou non) qui doit être « complet » (voir, entre autres exemples, le plan d'ensemble de la chambre de la mère dans *Psychose*, ou même le plan rapproché de la coiffeuse : vaporisateur, glace à main, flacons, peigne et brosse sont des effets de réel ; en fait ils attestent aussi une présence, ce qui est important pour l'intrigue ; dans le plan d'ensemble on peut cependant faire une différence entre le tableau accroché au mur, pur effet de réel, et la tapisserie commencée, détail sur lequel la caméra ne reviendra pas, mais qui atteste aussi la présence de quelqu'un dans cette chambre).

Cependant l'ordre du récit filmique, du fait même de l'immédiateté de l'image et de la simultanéité entre défilement de l'image et déroulement du récit, ne se soumet pas nécessairement à l'ordre du récit écrit défini plus haut (nomination → description → action). La fonction d'attestation du réel de la description est de ce fait atténuée. C'est tout le film qui atteste, par des procédés divers : utilisation du point de vue, décors (naturels ou reconstitués) vraisemblables (comparer l'Inde du *Fleuve* de Renoir à celle d'*India Song* de M. Duras), conjonction acteurs-personnages, synchronisation de l'image et du son, effets de redondance, etc., la réalité de ce qu'il montre et raconte.

Un exemple intéressant : *Jules et Jim* de F. Truffaut.

---

1. *Après un enchaîné rapide, nous retrouvons la même salle plongée dans l'obscurité. Seul, un écran blanc. Albert fait passer des vues de statues à la lanterne magique. Albert est debout, choisissant les vues qu'il passe dans l'appareil. Devant lui, et lui tournant le dos, sont assis Jules, Jim et la femme qui regardent l'écran. Albert commente chaque photo. (Plans alternés de l'écran et d'Albert.)*

Albert. Celle-là est plus exotique. Elle ressemble un peu à une statue inca. (Un temps.) Celle-là, c'est une statue qui a un peu le style roman. Elle est grêlée par la pluie parce que je l'ai trouvée au fond d'un jardin. Il a dû pleuvoir dessus une bonne génération. (Un temps.) Celle-là, très pathétique ! On a l'impression d'une figure en putréfaction. D'ailleurs, c'est très curieux de voir la pierre traitée d'une façon aussi flasque. (Un temps, puis apparaît sur l'écran la tête d'une femme sculptée dans la pierre : d'abord de profil, puis de face, puis en détail : lèvres, yeux, en gros plan. Elle est très belle.) Celle-là, je l'aime beaucoup, les

---

lèvres sont très belles... elles sont un peu dédaigneuses. Les yeux aussi sont très beaux. (Un temps.)

Albert s'apprête à changer de vue lorsque Jim se retourne vers lui. (Plan des trois spectateurs.)

Jim. Nous aimerions revoir la précédente, s'il vous plaît.

Albert, acquiesçant. D'ailleurs, j'en ai pris un détail encore plus près.

Différents angles de la statue en très gros plan passent sur l'écran. Insistance sur les yeux et la bouche pendant que la voix off commente.

Voix, off. Cette reproduction montrait un visage de femme grossièrement sculpté, exprimant un sourire tranquille qui les saisit... (Enchaîné.)

2. *Extérieur/île de l'Adriatique*

Enchaîné sur les deux amis, en costume d'été, qui visitent l'île. Ils arrivent vers un petit escalier de terre qui domine un champ de statues. Ils descendent et inspectent.

Voix, off. ... La statue, récemment exhumée, se trouvait dans un musée en plein air sur une île de l'Adriatique. Ayant résolu d'aller la voir ensemble, ils partirent aussitôt... Ils s'étaient fait faire des costumes clairs identiques.

Panoramique sur différentes statues. On finit par s'arrêter sur la statue qu'ils recherchaient (différents plans sur elle, toute blanche et illuminée de soleil).

Voix, off. Ils restèrent une heure avec la statue ; elle dépassait encore leur espérance ; ils tournèrent vite autour d'elle en silence. (Travelling circulaire autour de la statue). Ils n'en parlèrent que le lendemain. (Un temps.) Avaient-ils jamais rencontré ce sourire ?... Jamais !... Que feraient-ils s'ils le rencontraient un jour ? Ils le suivraient.

Extérieur Paris (rues, métro, Tour Eiffel...)

Voix, off. Jules et Jim rentrèrent chez eux, pleins de la révélation reçue... et Paris les reprit doucement. (Scènes animées des rues et des sites parisiens.)

Seuil/Avant-Scène, coll. « Points-Films », p. 25 à 28.

> *Jules et Jim sont assis à une table du jardin, discutent et se lèvent précipitamment pour aller accueillir trois jeunes femmes qui descendent un escalier et vont à leur rencontre. La troisième femme descend plus lentement, puis, pour examiner et les lieux et les deux hommes, relève la voilette de son chapeau. Gros plan de son visage qui ressemble étrangement à celui de la statue qui a passionné les deux amis. Série de très gros plans de ses yeux, de sa bouche... etc., tandis que la voix off commente.*
>
> *Voix, off.* Catherine, la Française, avait le sourire de la statue de l'île.
>
> *Ibid.*, p. 32.

1ʳᵉ séquence : Ici la description se nourrit d'un va-et-vient entre le texte et l'image :
— images de la statue (insistance : plusieurs plans, détails)
— paroles d'Albert (*lèvres très belles, dédaigneuses, yeux très beaux*)
— nouvelles images de la statue et voix off, redondante par rapport aux images (effet de réel).
La présence de la statue se fortifie des commentaires sur les images.

2ᵉ séquence : Réalité de la statue : les personnages vont la voir sur place :
— la voix off situe le lieu (image vraisemblable : effet de réel)
— plan de la statue
— plans subjectifs (travelling circulaire accompagnant les mots « ils tournèrent très vite autour d'elle en silence »). Action des personnages par rapport à l'objet réel (et non plus à l'image de l'objet).

3ᵉ séquence (séparée des précédentes par quelques séquences)
— découpage de la description de Catherine (Jeanne Moreau) semblable à celui de la description de la statue et
— commentaire de la voix off, redondant par rapport à ce découpage (tous deux opèrent le rapprochement entre Catherine et la statue). Incarnation de la statue qui permettra, au sens propre, à Jules et Jim de « suivre le sourire » (c'est tout le sujet du film).
Notons les états successifs de la représentation : une photo

représentant une statue représentant une femme → une statue représentant une femme → une femme. Mais toutes ces descriptions-représentations se font par l'intermédiaire de l'image cinématographique (du film). Images d'images, image sur image, c'est ce fantôme fuyant du réel que poursuivent Jules et Jim, que poursuit Truffaut, pendant que le temps passe, mine les statues, fait vieillir les protagonistes du film. Les relations texte(s)/image(s)/action(s) affirment la présence des objets et infirment la prise qu'on peut avoir sur eux (que peut avoir, notamment, la représentation).

8.3.3. Fonction de cohésion. Roland Barthes et Philippe Hamon (6 et 48) ont bien montré que la description est le lieu de l'organisation du récit en ce qu'elle renvoie soit à ce qui a déjà été dit (raconté) soit à ce qui va être dit (se passer). Elle rassemble des informations (sur les corps et les décors) qui confirment du déjà-vu ou annoncent les suites de l'action (l'auteur peut évidemment introduire des fausses pistes ou des leurres dans la description). La description assure « la concaténation logique, la lisibilité, et la prévisibilité du récit » (48, p. 484).

Or cette fonction de cohésion peut s'exercer, en gros, de deux manières. Elle peut porter sur l'histoire elle-même, au plan de la dénotation, ou sur l'ensemble du récit (histoire + discours), en jouant des connotations ou des figures (notamment la métaphore et la métonymie). Pour simplifier nous dirons, avec Gérard Genette (41, p. 58), que cette fonction « est d'ordre à la fois explicatif et symbolique ».

Nous n'insisterons pas sur la fonction explicative. Dans *Mademoiselle Perle**, Monsieur Chantal dit à son interlocuteur : « Il faut d'abord t'expliquer la maison pour que tu comprennes » ; suit une description détaillée, toute fonctionnelle par rapport à la suite du récit.

En ce qui concerne le symbolisme, nous pouvons reprendre les descriptions de *La petite Roque* citées ci-dessus (8.3.2.) et les mettre en relation avec l'ensemble du récit.

La description du paysage extérieur a d'étranges correspondances avec le récit d'ensemble et avec le « paysage intérieur » de Renardet : ainsi les « cascades invisibles qui faisaient, sous les feuilles (...), un gros bruit colère et doux » renvoient aux désirs

* In *La Petite Roque*, de Maupassant.

inavoués et inassouvis de Renardet ; la futaie appartenant au maire, composée « d'arbres antiques, énormes, droits comme des colonnes », est le lieu du viol et de la mort (« mousses (...) qui répandait dans l'air stagnant une odeur légère de moisi et de branches mortes »), thèmes continués par la description de l'automne dans laquelle Maupassant « anime » la nature (la mousse « *crie* » sous les pas, la chute des feuilles et de la pluie est un « *murmure* », puis une « *plainte* », les feuilles sont de « grandes larmes versées par les grands arbres tristes », la Brindille est « *colère* », les corbeaux font un « *voile de deuil* », le ciel est « *sanglant* », etc., thèmes qui trouvent une belle et pathétique conclusion dans le dénouement du récit : Renardet, après avoir abattu les arbres de la futaie, tente de rompre le mât qui surmonte sa tour, puis se jette dans le vide et meurt dans la Brindille d'où était sortie, nue, la petite Roque).

Informations et indices (unités renvoyant à un concept-caractère, atmosphère, etc. — paradigmatiques, participant d'une fonctionnalité de l'être : nous empruntons le terme à R. Barthes) forment des réseaux de connotations convergentes. Les thèmes ainsi constitués se structurent pour « dire » ce que, peut-être, l'auteur n'ose exprimer directement.

Des processus de contamination lexicale déplacent parfois le sens attendu d'une description pour le re-situer dans la perspective d'ensemble du récit (à cet égard la description opère également un réajustement continuel de la lecture). Ainsi dans *A rebours* de J.K. Huysmans, Des Esseintes part à la recherche de « fleurs naturelles imitant des fleurs fausses ».

Suit la description des fleurs, d'où nous extrayons les mots :

« tiges turgides et velues... feuille couleur de viande crue... feuille tuméfiée, suant le vin bleu et le sang... rongées pas des syphilis et des lèpres... cicatrices qui se ferment... croûtes qui se forment... épidermes poilus, creusés par des ulcères et repoussés par des chancres... des fondements écorchés et béants... un nid d'oiseau... montrant un intérieur tapissé de poils »...

Edition Fasquelle, pp. 118 à 123.

Ce lexique sexualisé est révélateur des obsessions sexuelles de des Esseintes, de sa peur du sexe féminin, des maladies, de ses fantasmes d'impuissance et de castration (voir la scène du cauchemar).

Lieu de « stockage » des informations, de condensation et de redistribution lexicale, la description apparaît comme une sorte de plaque tournante du récit écrit. Dans le récit filmique, son autonomie est moins grande. Sa fonction d'explication est parfois évidente, mais toujours coulée dans le flux narratif (à moins qu'une voix off ne décale la description de l'action). Il paraît difficile à un texte filmique de stocker des informations, le taux de saturation perceptive des spectateurs étant vite atteint. L'image globale joue donc souvent sur les informations subliminales (i.e. non perçues consciemment, mais enregistrées), lesquelles assurent une fonction de cohésion. Ainsi, dans *Le jour se lève*, la chambre de Gabin est parsemée d'objets renvoyant au personnage et à sa condition sociale (accessoires de bicyclette, vêtements), à des événements de l'histoire (l'ours, la broche, les photographies), au lieu lui-même (lit, armoire, miroir) ; la plupart de ces objets s'intègrent dans des actions (armoire-barricade, miroir brisé, etc.). Ce décor forme un dyptique avec le logement de Françoise (linge qui sèche, ours, broche, photographies, cartes postales). Des effets d'insistance (plans rapprochés, dialogue, gestes) attirent l'attention sur les objets les plus importants diégétiquement (Gabin emporte l'ours, Françoise se pique sur la broche, les cartes postales sont remarquées par Gabin). La cohésion s'inscrit à trois niveaux :

— niveau fonctionnel (aspect « réaliste » du décor, utilisation diégétique),

— niveau descriptif au sens large (le décor participe des personnages, il est reflet ou indice, par convergence — la chambre de Gabin « ressemble » à son occupant — ou par opposition — M. Dufour/Gabriello paraît déplacé, dans ses gestes et son vêtement, à la campagne)*,

— niveau symbolique (l'ours et le linge blanc chez Françoise comme signes de pureté) ; dans le même film se développe, à l'image et dans le dialogue, toute une thématique de la fleur (mimosas, lilas, fleurs épanouies/fanées, de serre/des champs) et du fruit (gâté/pourri).

* Dans *Une Partie de Campagne* de Renoir.

Cependant la vitesse de défilement des images et l'impérialisme de l'action, dans le cinéma narratif classique, restreignent
fortement le caractère paradigmatique de la description, la cohésion textuelle étant assurée par les relations texte/image/son. Les
objets, décors et personnages filmés forment une chaîne signifiante qui structure simultanément la diégèse et la symbolique.
Les longs plans fixes qui laissent au regard le temps de les décrire
(voir certaines séquences de *Play Time* de Jacques Tati) induisent
un tissu narratif plus lâche et enclenchent une perception plus
analytique de l'image (selon les auteurs et les spectateurs, la
durée du plan engendre la réflexion, la fascination contemplative,
l'ennui...). Voir les films de Chantal Ackerman ou de Marguerite
Duras (*Les rendez-vous d'Anna, India Song*, par ex.). Par ailleurs, un plan descriptif, lisible aux trois niveaux ci-dessus propo-
sés, peut être malgré tout préparé par ce qui le précède. C'est le
cas du plan du limonaire de *La règle du jeu* (voir 8.2.), aboutissement, synthèse signifiante de plusieurs plans descriptifs de la
première partie du film (voir « L'Avant-Scène », plans 18-19, 47
à 51, 64-65, 66-67) : voir **Photos 17 et 18**

Tous ces plans d'objets mécaniques sont pris dans la continuité
narrative mais contribuent à édifier un personnage (La Chesnaye)
et préparent l'assimilation finale du marquis à ses jouets. La
métonymie narrative (le marquis est un collectionneur maniaque
d'objets mécaniques ; il est plus préoccupé de ses jouets que des
soucis ménagers et peut-être même de sa femme, etc.) débouche
sur une « métonymie métaphorique », le travelling du plan 267
instituant bien structurellement une métonymie (relation de
contiguïté entre le marquis et les automates) ayant valeur de
métaphore (le marquis est un pantin) sans en être véritablement
une (il n'y a pas substitution d'une image à une autre).

Contrairement à ce qu'affirme Marcel Martin (*Le langage cinématographique*, Ed. du Cerf, p. 38) nous ne pensons pas qu'il
est possible d'assigner à tel mouvement d'appareil ou tel plan
des fonctions « purement » descriptives, alors que d'autres
auraient une valeur dramatique : ce qu'on montre au spectateur
du film a d'emblée une valeur dramatique en ce que cela s'inscrit dans un continuum audio-visuel narratif. La densité dramatique est plus ou moins forte, mais indices et informations sont
semés.

8.3.4. Fonction dilatoire. Nous avons vu (ch. 2) que le titre même d'un récit enclenche un questionnement (qui est-ce ? qu'est-ce que c'est ? que s'est-il passé ? etc.) que le récit développera, étendra, reconduira, comblera complètement ou en partie. A l'époque du récit réaliste (et dans les récits actuels proches de l'esthétique réaliste-naturaliste) le contrat implicite qui liait le romancier au lecteur obligeait à une résolution complète des questions et énigmes ; aujourd'hui certains récits les égrènent et refusent les réponses et les solutions.

Mais, s'il est nécessaire de faire en sorte que le lecteur se pose des questions, il est indispensable de retarder les réponses et de prolonger ainsi les délices de l'inquiétude et de l'inconfort dont on sait bien qu'ils seront tôt ou tard dissipés. Aussi bien le schéma privilégié du récit sera-t-il celui des énigmes posées et des réponses retardées puis finalement données. Ce schéma s'articule selon ce que Roland Barthes appelle le « code herméneutique » (11), code de l'énoncé des questions, de celui des retards, leurres, hasards, fausses pistes, équivoques, réponses suspendues, etc. venant retarder le dévoilement de la « vérité ». Il faut que le récit dure pour que s'entretiennent et se développent un certain temps, un certain temps seulement, la curiosité et le besoin de savoir du lecteur. Sans ces retards le récit n'existerait plus, son volume serait trop réduit pour justifier son prix ; quant à la vérité qu'il dévoile en fin de compte, elle en serait tout aussi dévaluée : le mot de l'énigme a d'autant plus de prix qu'il est différé.

La description peut avoir, dans cette perspective, une fonction dilatoire. Elle permet de différer les réponses, de gagner de l'espace : dans les mauvais romans policiers beaucoup d'objets, de comparses, de lieux fugitifs sont matière à descriptions dilatoires ; d'une manière générale les récits médiocres multiplient ces descriptions inutiles. Notons que la description peut avoir la fonction inverse (explicative, déjà étudiée) ou cumuler les deux fonctions. Distinguons l'énigme proprement dite (au sens où l'on emploie ce mot à propos d'un récit policier : toute question impliquant l'existence d'un mystère et dont la résolution présente un caractère d'urgence soit circonstancielle — meurtre à élucider — soit personnelle — curiosité intense à satisfaire), de l'interrogation simple (question concernant un personnage, un fait, un lieu et que le texte amène « naturellement » à se poser, mais n'impliquant pas nécessairement l'existence d'un mystère au niveau diégétique) : l'énigme structure et articule l'ensemble ou de grandes parties d'un récit, elle en est explicitement à l'origine ; l'interrogation est un élément du code herméneutique, elle est implicite et constitue le texte même du récit, au sens premier du mot, tissu, trame. Reprenons le début de *la Petite Roque* (cit. en 8.3.2.). Le titre du récit de Maupassant déclenche des questions implicites : qui est la petite Roque ? que lui est-il arrivé ? Le texte ne répond pas tout de suite : la description des faits et gestes de Médéric retarde cette réponse. Puis c'est la découverte de la petite Roque. La description du corps donne réponse à la question inaugurale (la petite Roque est la fille d'une paysanne et a été violée et assassinée) et pose l'énigme qui va structurer une grande partie de la suite du récit : qui l'a tuée ?, assortie d'une énigme secondaire : que sont devenus ses vêtements ?

Les descriptions qui suivront (concernant Renardet et son environnement) seront autant de retards, d'indices et de fausses pistes.

Le récit filmique est coutumier de ces descriptions dilatoires. On peut même avancer qu'elles structurent une part importante des films appartenant à des genres particuliers : policiers, westerns, horreur et tous les films fondés sur le « suspense ». A ce propos il y a sans doute lieu, avec Alfred Hitchcock (voir 104) de distinguer le *suspense* de l'*énigme* et de la *surprise*. Enigmes et surprises (et ce que nous appelons interrogations) impliquent l'ignorance du spectateur : dans les cas de l'énigme et de l'interrogation cette ignorance est connue et déclenche des questions ; dans le cas de la surprise, l'émergence soudaine de l'événement tient son impact d'une « ignorance ignorée ». Au cinéma, pour des raisons déjà explicitées, description et narration se conjuguent pour la résolution des énigmes sans qu'on puisse assigner à la description une fonction particulière. En revanche le « suspense » implique une information du spectateur et une dilatation de l'attente inquiète, voire angoissée. La description filmique vient à point pour prolonger attente et angoisse. On pourrait citer nombre de séquences descriptives (couloirs de châteaux sinistres, sombres caveaux, cimetières décrits à grands renforts de panoramiques ou de travellings, souvent « subjectifs ») purement dilatoires. Dans la séquence 8 analysée plus haut (8.2.) de *Psychose*, les descriptions successives retardent le dévoilement de l'énigme et fondent le suspense (le spectateur « sait » que les visiteurs de la maison ont généralement un mauvais sort, il sait que Lila est en danger d'être poignardée, comme sa sœur Marion et Arbogast l'ont été).

8.3.5. Fonction idéologique. La description est une forme d'emphase. Elle implique des choix : tous les objets ou personnages d'un récit ne sont pas décrits. Ces choix peuvent s'expliquer par des nécessités fonctionnelles (voir ci-dessus), mais ils participent aussi d'une organisation des valeurs au sein de l'univers diégétique considéré. Le fait même d'être décrit confère à l'objet une valeur. Le contenu de la description indiquera les aspects négatifs ou positifs de cette valeur, en référence à un système plus ou moins explicité dans le texte.

Dans *Rosalie Prudent*, le narrateur valorise fortement la servante, contrevenant au style de procès-verbal adopté dans les premiers paragraphes, opposant Rosalie, « belle grande fille de Basse-Normandie, assez instruite pour son état » aux « époux Varambot (...), petits rentiers de province, exaspérés contre cette traînée qui avait souillé leur maison » ; ici le discours du récit s'oppose au discours des Varambot, rapporté au style indirect libre : peut-on être à la fois une traînée et une belle grande fille assez instruite ? Dans la suite du texte, le récit de Rosalie « efface » complètement les Varambot et leurs déclarations (ils ne parleront plus, on n'en parlera plus : « Le président les fit taire... », le narrateur aussi). Puis, le point de vue — jusqu'alors, en gros, celui des jurés — se déplace pour valoriser encore Rosalie, et le narrateur semble jouer le rôle d'un avocat :

« Alors elle se mit brusquement à parler avec abondance, soulageant son cœur fermé, son pauvre cœur solitaire et broyé, vidant son chagrin, tout son chagrin maintenant devant ces hommes sévères... »

Et c'est une sorte d'interférence entre les lignes de communication récit → lecteur et personnage (Rosalie) → personnages (jurés, assistance masculine) que l'on relève :

« Et puis v'là qu'il me r'vient une douleur, mais une douleur à mourir. — Si *vous* connaissiez ça, *vous autres*, *vous* n'en feriez pas tant, allez ! — J'en ai tombé sur les genoux... » Personnages et lecteurs sont mis en cause par les discours du personnage central. On voit que tous les artifices rhétoriques de la défense ont été mis en œuvre pour obtenir du lecteur ce qui est obtenu fictivement des jurés : l'acquittement.

Au cinéma la simple désignation par l'image de l'aspect physique des personnages établit une distribution immédiate (jeunes/vieux, beaux/laids, etc.). Les comportements et paroles prononcées complètent le schéma (voir, par exemple, l'opposition déjà notée entre le couple M. Dufour-Alphonse et les deux canotiers dans *Partie de Campagne* de Renoir). La description vient généralement ajouter (en confirmant ou en ambiguïsant, voir plus bas, ce qui a été montré) aux informations premières (voir, par exemple, la chambre du jeune homme dans *Pickpocket* de Bresson).

La dynamique du récit instaure parfois une évolution, ou des contradictions, ambiguïtés, vacillements, renversements, dans la distribution des valeurs, lisibles soit dans la succession des descriptions soit dans la dialectique description/narration.

L'ambivalence des objets est lisible dans le renversement de leurs fonctions et de leurs effets. Elle est parfois consubstantielle à l'objet :

de même que la petite Roque est double, pas encore femme plus tout à fait enfant, de même que Renardet est successivement ou simultanément fort et faible, la propriété de Renardet suggère la force, la solidité, la perennité (tour, arbres de la futaie) et la fluidité, la fragilité, la mort (la Brindille, les saules, la mousse), ces caractères s'inversant dans le cours du récit (les arbres sont abattus, la Brindille emporte la cervelle et le sang de Renardet).

Dans *Julie Romain*, c'est la villa de Julie qui, aux yeux du narrateur comme à ceux du lecteur, est d'abord une « maison de rêve » puis devient le lieu d'une mise en scène dérisoire et trompeuse. Une sorte de dialectique s'établit d'une description à l'autre, ou de la description à la narration. Le doute est jeté : tout apparaît mouvant, factice, trompeur.

Certains textes d'Alain Robbe-Grillet sont entièrement conçus sur le principe d'une succession de descriptions différentes des « mêmes » objets. Cas limite qui fait des variations descriptives le moteur même de la narration.

Ex. : le mille-pattes dans *La Jalousie* ; voir l'article de J.P. Weil dans le n° 40 du « Français Aujourd'hui » (déc.77).

La linéarité du texte écrit implique que les remises en question éventuelles concernant une personne, un objet, etc. se fasse par rétroaction. Le film peut fonctionner de même. Mais il a en outre la possibilité d'instaurer d'emblée la contradiction ou l'ambiguïté en jouant des différentes substances de l'expression dont il dispose dans un seul plan : l'image d'un personnage et les mots qu'il prononce ou le ton de sa voix, l'image d'un lieu et les bruits qu'on entend, etc.

A cet égard un exemple intéressant d'informations contradictoires nous est fourni par le cinéma moderne, qui paraît difficile à réaliser en littérature : il s'agit de l'évolution d'un personnage de la jeunesse à la vieillesse. Les descriptions successives sont, dans le récit traditionnel, le lieu de cette évolution. Ainsi du baron Hulot dans *la Cousine Bette* de Balzac : voir analyse et textes au ch. 8.1. Les trois descriptions indiquent la décadence physique, mais aussi morale et sociale du personnage. Par le choix des éléments retenus, l'instance narrative donne à voir et à juger.

La description écrite peut évidemment représenter des vieillards encore jeunes. Mais dès lors que l'information « vieux », « vieillard », « 70 ou 80 ans » est donnée, l'imaginaire du lecteur ne pourra guère qu'être corrigé, modifié, non inversé.

Or, au cinéma, il est possible de montrer l'image d'un personnage jeune qui, diégétiquement, a atteint le grand âge. Nous ne faisons pas état de ces films américains montrant des vedettes qui n'acceptent que de se vieillir à peine (encore portent-elles des signes de vieillesse aisément repérables : cheveux blancs, rides au front) mais de certains films modernes racontant l'histoire de toute une vie, voire de plusieurs générations sans que le physique des personnages varie. L'écoulement du temps est indiqué par d'autres informations (textes à lire ou entendu, mention d'événements historiques repérables, évolution des accessoires ou des vêtements) mais ne se « lit » pas sur le visage de l'acteur. Cette « contradiction » révèle l'artifice filmique : on ne peut oublier qu'il s'agit d'un film, d'acteurs, etc. On reconnaît un procédé brechtien de distanciation qui utilise à sa manière la fonction idéologique de la description. Citons, parmi ces films, *Souvenirs d'en France* (A. Téchiné, France, 1974).

Ce qui n'est pas décrit est généralement révélateur, du point de vue idéologique. La non-description s'explique par le fait qu'on ne peut pas tout décrire (vertige de l'exhaustivité : il a hanté quelques écrivains, Flaubert par exemple), qu'on n'a pas besoin de tout décrire (fonctionnalité) mais aussi par les censures, conscientes ou non. Ainsi la description d'actes sexuels est-elle jusqu'à une époque récente écartée des textes écrits, ou filmiques qui prétendent à une audience large et à une publication ouverte. L'ellipse, allusion ou suggestion métonymique ou métaphorique (par « déplacement » de la description censurée sur celle d'un autre « objet ») serviront à faire passer l'information sans contrevenir aux bienséances.

Exemple : *Une partie de campagne*

La jeune fille pleurait toujours, pénétrée de sensations très douces, la peau chaude et piquée partout de chatouillements inconnus. La tête de Henri était sur son épaule ; et, brusquement, il la baisa sur les lèvres. Elle eut une révolte furieuse et, pour l'éviter, se rejeta sur le dos. Mais il s'abattit sur elle, la couvrant de tout son corps. Il poursuivit longtemps cette bouche qui le fuyait, puis, la joignant, y attacha la sienne. Alors, affolée par un désir formidable, elle lui rendit son baiser en l'étreignant sur sa poitrine, et toute sa résistance tomba comme écrasée par un poids trop lourd.

Tout était calme aux environs. L'oiseau se remit à chanter. Il jeta d'abord trois notes pénétrantes qui semblaient un appel d'amour, puis, après un silence d'un moment, il commença d'une voix affaiblie des modulations très lentes.

Une brise molle glissa, soulevant un murmure de feuilles, et dans la profondeur des branches passaient deux soupirs ardents qui se mêlaient au chant du rossignol et au souffle léger du bois.

Une ivresse envahissait l'oiseau, et sa voix, s'accélérant peu à peu comme un incendie qui s'allume ou une passion qui grandit, semblait accompagner sous l'arbre un crépitement de baisers. Puis le délire de son gosier se déchaînait éperdument. Il avait des pâmoisons prolongées sur un trait, de grands spasmes mélodieux.

Quelquefois il se reposait un peu, filant seulement deux ou trois sons légers qu'il terminait soudain par une note suraiguë. Ou bien il partait d'une course affolée, avec des jaillissements de gammes, des frémissements, des saccades, comme un chant d'amour furieux, suivi par des cris de triomphe.

Mais il se tut, écoutant sous lui un gémissement tellement

profond qu'on l'eût pris pour l'adieu d'une âme. Le bruit s'en prolongea quelque temps et s'acheva dans un sanglot.

Tome 1 des *Contes et Nouvelles* de Maupassant,
éd. A. Michel, p. 380-381.

Sur le plan descriptif, on assiste bien à un glissement, un déplacement du couple vers le rossignol. Le caractère métonymique de ce déplacement est attesté par les phénomènes de contamination lexicale déjà repérés dans un texte de Huysmans (voir 8.3.3.). Les notions de **sème** et d'**isotopie** nous permettront de mieux rendre compte de cette page. Si l'on entend par **sème** une unité de sens (la polysémie désigne une pluralité de sens) et par **isotopie sémique** un effet de sens produit par le retour, la répétition d'un sème à travers plusieurs mots, nous pouvons sélectionner dans le paragraphe décrivant le couple Henri-Henriette :

— Une isotopie « corporelle » : *peau, tête, épaule, lèvres, dos, corps, bouche, poitrine* ; ou, pour être plus précis, de sensations et de mouvements corporels : *pleurait, pénétrée, sensations, chaude, piquée, chatouillements*, etc.

— Une isotopie « amoureuse » ou « sexuelle », repérable en des sèmes dénotés ou connotés : *sensations douces, chatouillements inconnus, baiser, désir...*

Or ces isotopies se poursuivent dans la description du chant du rossignol, introduites directement (métaphores) ou non (comparaisons), mais intégrées dans une isotopie « musicale » englobante : *chanter, notes, silence, voix, modulations, murmure, soupirs*, etc. Cette isotopie majeure atténue l'isotopie sexuelle (ex. : *spasmes mélodieux, jaillissements de gammes*). Effet de censure ? Volonté de poétiser l'acte sexuel, d'exprimer l'osmose entre le couple et la nature ? Quoiqu'il en soit, la fonction idéologique de la description est ici évidente.

Il est intéressant d'observer comment Renoir a résolu filmiquement la question de l'étreinte des deux jeunes gens :

Puis en travelling arrière, on aperçoit Rodolphe entraînant Mme Dufour derrière un arbre. Plan moyen d'Henri cherchant à embrasser Henriette qui se refuse. Elle se renverse en arrière. Il se couche sur elle. On reprend en plan rapproché leurs visages, Henri cherchant la bouche d'Henriette qui enfin s'abandonne.

> *Gros plan de leur baiser. Très gros plan du visage d'Henriette, soutenu par la main d'Henri.* Voir **Photo 19.**
> *Fondu enchaîné sur un plan moyen d'Henriette, allongée à côté d'Henri.*
>
> « l'Avant-Scène » n° 21, p. 41

Le rossignol, qui a servi de prétexte à Henri pour conduire Henriette en son « cabinet particulier » et a fait l'objet d'un plan, n'apparaît plus. C'est la succession :

plan moyen → gros plan → très gros plan → fondu enchaîné qui suggère l'accomplissement de l'acte, outre, bien entendu, les attitudes corporelles des acteurs (il se couche sur elle, baiser, abandon). En effet, le rapprochement progressif de la caméra par rapport au corps de la jeune fille est comme une équivalence visuelle du rapprochement corporel d'Henri. Notons, à ce propos

— que la caméra semble donc plutôt du côté de l'œil du spectateur mâle (mais elle est bien tenue par un homme),

— que cet œil va contempler... un œil, en très gros plan, comme si le coït cinématographique était précisément la rencontre de l'œil du voyant et de l'œil du vu (alors que le coït diégétique est non vu, « déplacé »),

— que le fondu-enchaîné sur plan moyen du couple marque l'ellipse temporelle (utilisation classique, stéréotype narratif s'agissant des scènes d'amour) *et* l'éloignement, le retrait (les corps sont séparés, l'œil a repris ses distances).

La présence de descriptions d'actes sexuels suffit à classer les textes dans un genre déterminé (« licencieux », « érotiques »), la forme de ces descriptions (si elle est écrite : crudité des termes employés ; si elle est filmée : nature de ce qui est filmé) induisant des gradations (érotique/pornographique). Les normes varient selon les pays et les époques (les textes concernant l'apparition du « système pileux » à l'écran sont assez savoureux, à cet égard) et certaines œuvres viennent brouiller les pistes (Sade, Bataille, Guyotat, *Le dernier tango à Paris* de Bertolucci, *L'empire des sens* d'Oshima, etc.). Ce sont des dissonances qui révèlent la fonction idéologique de la description : inclure, dans un film, un roman courant, voire relevant de « l'art et essai » (donc un film, un livre qui ne visent pas exclusivement le public des œuvres érotiques ou pornographiques), des descriptions d'actes sexuels, c'est bouleverser les normes, manifester le caratère conventionnel, contraint, de la structure des récits qui excluent ou incluent systématiquement ce type de description, c'est dénoncer l'arbitraire de la norme. On sait ce que cela valut à Flaubert, Zola, Pasolini et quelques autres qui ont fait reculer les limites du « descriptible ».

Un exemple littéraire :

... est-ce qu'il existe, ici-bas, un être conçu dans les joies d'une fornication et sorti des douleurs d'une matrice dont le modèle, dont le type soit plus éblouissant, plus splendide que celui de ces deux locomotives adoptées sur la ligne du chemin de fer du Nord.

L'une, la Crampton, une adorable blonde, à la voix aiguë, à la grande taille frêle, emprisonnée dans un étincelant corset de cuivre, au souple et nerveux allongement de chatte, une blonde pimpante et dorée, dont l'extraordinaire grâce épouvante lorsque, raidissant ses muscles d'acier, activant la sueur de ses flancs tièdes, elle met en branle l'immense rosace de sa fine roue et s'élance toute vivante, en tête des rapides et des marées.

L'autre, l'Engerth, une monumentale et sombre brune aux cris sourds et rauques, aux reins trapus, étranglés dans une cuirasse en fonte, une monstrueuse bête, à la crinière échevelée de fumée noire, aux six roues basses et accouplées ; quelle écrasante puissance lorsque, faisant trembler la terre, elle remorque pesamment, lentement, la lourde queue de ses marchandises !

Il n'est certainement pas, parmi les frêles beautés blondes et les majestueuses beautés brunes, de pareils types de sveltesse délicate et de terrifiante force ; à coup sûr, on peut le dire : l'homme a fait, dans son genre, aussi bien que le Dieu auquel il croit.

J.K. Huysmans, *A Rebours*, éd. Fasquelle, p. 32.

8.4. Conclusion

Décrire prend du temps : pourtant une suite de mots ou d'images descriptifs signifie la contiguité spatiale et le piétinement du temps (la bouche est au-dessous du nez et non « après » lui).

Une piste de travail, que nous ne développerons pas ici, nous est fournie par Philippe Hamon (48) : qui prend en charge la description ? l'auteur, le narrateur, un personnage ? comment s'effectue cette prise en charge ? Ph. Hamon indique qu'un personnage peut

regarder

parler   l'objet décrit

agir sur

La question fondamentale reste : est-ce la description qui détermine l'action (en d'autres termes, le personnage agit-il, regarde-t-il *parce que* l'auteur voulait introduire à tel endroit du récit la description d'un objet donné) ou est-ce l'inverse (l'action ne peut s'effectuer qu'au prix des descriptions) ? Cette distinction nous amènerait à deux types de récits selon des finalités bien différentes : les récits d'actions (dans lesquels les descriptions sont au service de l'action fondamentale : romans d'aventures passées ou actuelles), récits de descriptions (dans lesquels l'action n'est qu'un prétexte (roman-documentaire). Entre ces deux extrêmes, des récits où les fonctions de la description sont multiples.

Selon Ch. Metz il y a description lorsque qu'une consécution d'éléments équivaut (exprime) la simultanéité. Plus précisément encore, et toujours selon Metz, c'est l'absence du consécutif qui fonde la description (la simultanéité étant, nous l'avons vu plus haut : 8.2., pratiquement constante au cinéma). Mais la diégèse et le point de vue (d'un personnage, d'un narrateur, d'un cinéaste) viennent inscrire la description dans un temps vécu, celui de la perception, de l'écriture, de la lecture : la simultanéité est peu ou prou temporalisée. « Changement de vitesse », « changement d'intelligibilité », changement de « régime perceptif » : au sein du récit, la description remet en cause notre rapport à l'espace (qui n'est plus si immédiat ou instantané) et au temps (qui n'est plus si linéaire). Certains cinéastes « contemplatifs » mettent en scène notre regard en des observateurs plantés devant le spectacle d'un monde agencé par l'artiste : voir *Fenêtre sur Cour*, d'Hitchcock, *Mon Oncle* et *Play-Time* de Tati, les *Clowns* et *Amarcord* de Fellini. Immobiles ou immobilisés, les personnages regardent, comme pour capter ce qu'ils voient, tentent d'agir, et vieillissent. Regarder : décrire, sur l'espace, les lignes du temps.

9. LE PERSONNAGE

Moteur de tout récit, le personnage est très différemment pris en charge, actualisé, par l'écriture et le film. Contraintes, nécessités, projets techniques, économiques, esthétiques aboutissent à la création de types entretenant avec le lecteur-spectateur des relations fort diverses.

9.1. *Problèmes généraux*

Plus que tout autre élément du récit, le personnage est victime de l'illusion référentielle. Tel un vivant, on ausculte son « caractère », on suppute ses comportements possibles, on le psychanalyse. Même lorsqu'on reconnaît sa nature de simulacre, on interroge des « clés » et des « sources » pour le rabattre encore sur du « réel ». Pourtant, que de mises en garde. A la citation désormais classique de Valéry : « ... des personnages, ces vivants sans entrailles » (106), ajoutons les propos de Mauriac :

Acceptons humblement que les personnages romanesques forment une humanité qui n'est pas une humanité de chair et d'os, mais qui en est une image transposée et stylisée. Acceptons de n'y atteindre le vrai que par réfraction. Il faut se résigner aux conventions et aux mensonges de notre art.

Le romancier et ses personnages, Livre de poche, p. 116.

Pour échapper aux spéculations oisives et serrer de plus près les rapports du personnage au récit, il paraît opportun de s'en tenir à ce que les textes (écrits/filmiques) nous livrent en informations, de revenir à « la condition verbale de la littérature » (106), filmique du film. Appréhendons le personnage, non comme une personne, mais comme une représentation, un « signe » global, lui-même constitué de signes (linguistiques ou autres) dessinant un rôle, un type, une fonction, une absence quelquefois.

Ce sont les énoncés descriptifs, narratifs, dialogués qui nous informent, de façon plus ou moins lacunaire selon les nécessités du récit, de l'**être** (identité, traits physiques, traits psychologiques, sociaux, etc.) et du **faire** (action sur le monde et sur les autres, évolution personnelle) du personnage. Mais c'est aussi la situation dans le système d'ensemble des personnages qui le définit différentiellement, en complémentarité, opposition, antithèse, etc. Le personnage acquiert de ce fait un double statut :

— un statut diégétique* : il occupe une position particulière dans l'histoire (servante, chevalier, etc.),

— un statut « narratif » : il est personnage « principal » ou « secondaire », « héros » ou « utilité », etc.

Les corrélations entre ces statuts sont intéressantes en ce qu'elles caractérisent les codes ou les valeurs constitutifs du récit (valeurs et codes à mettre au compte de l'auteur ou du genre ou de l'époque) : les écrivains naturalistes choisissent volontiers pour personnage principal une servante (Maupassant, Goncourt, Mirbeau, Zola), Françoise Sagan place au premier plan de ses romans des bourgeois riches, etc.

L'étude des personnages sera donc, dans un premier temps, l'étude des statuts narratifs, ou encore de la distribution des personnages (on sait que ce terme est utilisé au cinéma pour désigner la répartition des rôles entre les acteurs : or cette répartition se fonde précisément sur l'importance du rôle par rapport à la notoriété de l'acteur). Mais plutôt que de nommer simplement le personnage principal, les personnages secondaires, etc., on s'efforcera de mettre en évidence ce qui, dans le récit, place le personnage dans tel ou tel statut. Ainsi, si l'on reconnaît la présence d'un héros, c'est par le degré de focalisation (voir ch. 10) du récit sur un personnage (fréquence des mentions, désignations, qualifications ; fréquence des apparitions, des actions ; volume des paroles prononcées, etc.), et par différenciation avec les autres. On pourra repérer des récits

• à personnage principal unique : *Bel-ami* de Maupassant, tous les *James Bond* (romans et films),

• à plusieurs personnages principaux : *Trois femmes* de R. Altman,

• à personnage-groupe : *Les copains* de Jules Romains, *Vincent, François, Paul et les autres* de Claude Sautet, *Nashville* de Robert Altman,

• à « héros collectif » : *Les Communistes* d'Aragon, *Octobre* d'Eisenstein, *Les Camisards* de René Allio,

---

* Nous entendons par *diégétique* tout ce qui se rapporte à l'histoire racontée : lieux, époque, actions, etc.

• sans personnage principal, par processus de raréfaction, de réduction (par exemple à des voix ou à des gestes : Pierre Guyotat, Nathalie Sarraute) ou, au contraire, de prolifération (*Passacaille* de Robert Pinget).

Il nous paraît important de définir d'abord quantitativement le personnage, c'est-à-dire

• dans un récit écrit, le nombre des mentions, désignations, qualifications, descriptions, actions, commentaires (de l'auteur, des autres personnages), paroles qui lui sont affectées,

• dans un récit filmique, le nombre et la longueur des plans qui le contiennent, la part de dialogue qui lui est imparti (mais il est des héros peu bavards...).

Prenons un exemple emprunté à l'œuvre de Robert Altman. Dans *Nashville* (1975) le montage répartit de façon à peu près égale les séquences entre les personnages du film. La grande scène finale réunit tous les protagonistes, par ailleurs souvent présents en même temps dans le champ. Le film est presque entièrement constitué de plans généraux, avec mouvements d'appareil balayant le champ. Pas de « star » parmi les acteurs. Pas de personnage principal. Dans *Buffalo Bill et les indiens* (1976), pourtant très proche de *Nashville* dans le propos et dans le traitement, le personnage de Buffalo Bill, après avoir tardé à « entrer » dans le film (effet d'attente semblable à celui qui est ménagé dans le spectacle qu'il présente), est très souvent présent dans le champ. Plusieurs séquences et plusieurs gros plans l'isolent. Sa part de dialogue est importante (sans doute la plus importante). Enfin il est interprété par Paul Newman. On note dans le même film des procédés de valorisation d'une autre « star » (gros plans, travellings avant, dialogues) : Burt Lancaster.

L'exemple de *Buffalo Bill* d'Altman est d'autant plus intéressant que le film s'emploie à démythifier le héros et la geste soidisant héroïque des pionniers massacreurs d'indiens. Anti-héros ou héros dévalué, le personnage n'en reste pas moins central (et donc intact le caractère individuel de la problématique posée). Mais cette dernière remarque fait référence à l'aspect qualitatif du personnage, défini à partir des éléments constituant l'être et le faire. Or les signes écrits et filmiques désignant et qualifiant le personnage sont de natures différentes. Risquons un tableau :

Personnage

Personnage		*Récit écrit*	*Récit filmique*
	Nom et/ou dénomination	Noms propres, pronoms, substantifs	Nom propre (prononcé). Eventuellement : informations apportées par cartons ou voix off.
Etre	*Informations diverses*	Portraits et descriptions : champs sémantiques, adjectifs. Dialogues : mots *du* per-personnage, mots *sur* le personnage	Images : physique de l'acteur, costume, décors, accessoires, etc. Dialogues : paroles du personnage, paroles des autres par rapport à lui.
	Evolution	Variation des champs sémantiques. Verbes. Marques temporelles Portraits et descriptions contrastées (voir 8.3.5.).	Marques temporelles. Variations du physique de l'acteur (maquillage), du costume, de l'état des lieux, etc. (image).
Faire	*Actions*	Verbes et adverbes. Enchaînement des termes, narration descriptive.	Actions filmées = montage, rythme.

Exemple : *Jules et Jim*, roman d'Henri-Pierre Roché (1953), film de François Truffaut (1962)*, présentation des personnages.

Roman de H.P. Roché

C'était vers 1907.

Le petit et rond Jules, étranger à Paris, avait demandé au grand et mince Jim, qu'il connaissait à peine, de le faire entrer au bal des Quat-z'Arts, et Jim lui avait procuré une carte et l'avait emmené chez le costumier. C'est pendant que Jules fouillait doucement parmi les étoffes et choisissait un simple costume d'esclave que naquit l'amitié de Jim pour Jules. Elle crût pendant le bal, où Jules fut tranquille, avec des yeux comme des boules, pleins d'humour et de tendresse.

Le lendemain ils eurent leur première vraie conversation. Jules n'avait pas de femme dans sa vie parisienne et il en souhaitait une. Jim en avait plusieurs. Il lui fit rencontrer une jeune musicienne. Le début sembla favorable. Jules fut un peu amoureux une semaine, et elle aussi. Puis Jules la trouva trop cérébrale, et elle le trouva ironique et placide.

* Livre de poche pour le roman, p. 7-8.

120

Jules et Jim se virent tous les jours. Chacun enseignait à l'autre, jusque tard dans la nuit, sa langue et sa littérature. Ils se montraient leurs poèmes, et ils les traduisaient ensemble. Ils causaient, sans hâte, et aucun des deux n'avait jamais trouvé un auditeur si attentif. Les habitués du bar leur prêtèrent bientôt, à leur insu, des mœurs spéciales.

Jim introduisit Jules dans des cafés littéraires où fréquentaient des célébrités. Jules y fut apprécié et Jim en fut content. Jim avait une camarade, dans un de ces cafés, une jolie petite femme désinvolte, qui tenait le coup aux Halles mieux que les poètes, jusqu'à six heures du matin. Elle distribuait, de haut, ses faveurs brèves. Elle conservait, à travers tout, une liberté hors la loi et un esprit rapide qui frappait juste. Ils eurent des sorties à trois. Elle déconcertait Jules, qu'elle trouvait gentil, mais ballot. Il la jugeait remarquable, mais terrible. Elle amena pour Jules une amie bonasse, mais Jules la trouva bonasse.

Jim ne put donc rien pour Jules. Il l'engagea à chercher seul. Jules, peut-être gêné par son français encore imparfait, échouait toujours. Jim dit à Jules : « Ce n'est pas qu'une question de langue. » Et il lui exposa des principes.

« Autant me prêter vos souliers, ou vos gants de boxe, dit Jules, tout cela est trop grand pour moi. »

Jules, malgré l'avis de Jim, prit contact avec des professionnelles, sans y trouver satisfaction.

Ils se rabattirent sur leurs traductions et sur leurs entretiens.

Film de F. Truffaut

L'écran reste noir un instant durant lequel une voix de femme se fait entendre.

Jeanne Moreau, off. « Tu m'as dit : Je t'aime. Je t'ai dit : Attends. J'allais dire : Prends-moi. Tu m'as dit : Va-t-en. »

Après cet *exergue récité*, l'écran s'éclaire et le générique commence à se dérouler sur les images de quelques scènes fugitives. On voit ainsi deux hommes, Jules et Jim, passer dans une ruelle et se faire longuement des politesses, puis se promener gaiement dans la campagne ensoleillée, en compagnie de deux jeunes femmes. Alors que le nom de la petite Sabine Haudepin passe, une jeune enfant joue aux fléchettes : gros plan sur son visage, puis panoramique très rapide suivant une fléchette jusqu'à la cible.

Toujours pendant le générique, nombreux flashes sur Jules et Jim : soit se battant en duel avec des balais à la place d'épées, soit jouant à l'aveugle et au paralytique (Jules le paralytique est monté sur les épaules de Jim, l'aveugle, qui avance en tâtonnant). Ensuite gros plan d'un sablier qui s'écoule, d'une toile de Picasso (époque bleue), du guitariste Bassiak (celui-là même qui interprète le rôle d'Albert), de Jules tenant par la main sa fille Sabine et se promenant dans une prairie. Enfin dernier plan du générique (en grande plongée) : Jules et Jim, dans la campagne, font une course à pied effrénée.

Début du film proprement dit : série de scènes muettes entre Jules et Jim, tandis qu'une *voix off* (celle de Michel Subor) commente la rencontre ainsi que la naissance de l'amitié des deux hommes. Jules et Jim sont assis face à face auprès d'une table et jouent aux dominos.

Voix, off. C'était vers 1912. Jules, étranger à Paris (gros plan flash sur Jules le blond qui déplace un pion), avait demandé à Jim (gros plan flash sur Jim le brun qui regarde le jeu), qu'il connaissait à peine, de le faire entrer au bal des Quat-z'Arts ; Jim lui avait procuré une carte et l'avait emmené chez le costumier. C'est pendant que Jules fouillait doucement parmi les étoffes... (Plan de Jules et Jim fouillant dans une grande malle : ils en sortent un drap.)... et se choisissait un simple costume d'esclave, que naquit l'amitié de Jim pour Jules. Elle grandit pendant le bal où Jules fut tranquille avec des yeux comme des boules, pleins d'humour et de tendresse.

Le lendemain (Plan des deux hommes assis : Jim coupe les pages d'un livre pour Jules.) ils eurent leur première vraie conversation, puis ils se virent tous les jours. (Plan des deux hommes que la caméra suit dans la nuit : ils se promènent dans les rues en discutant). Chacun enseignait à l'autre, jusque tard dans la nuit, sa langue et sa littérature ; ils se montraient leurs poèmes et les traduisaient ensemble. Ils avaient aussi en commun une relative indifférence envers l'argent et ils causaient sans hâte, aucun des deux n'ayant jamais trouvé un auditeur si attentif.

Plan extérieur : une barque, où sont installées deux jeunes

femmes en compagnie de Jules et Jim, file sur l'eau ; c'est Jim qui rame.

Jules n'avait pas de femme dans sa vie parisienne et il en souhaitait une. Jim en avait plusieurs. (Plan sur Jules et Jim avec deux autres femmes près d'un pavillon.) Il lui fit rencontrer une jeune musicienne. Le début sembla favorable. Jules fut un peu amoureux, une semaine, et elle aussi. (Plan sur Jim, souriant à une jeune femme près de lui, et panoramique sur Jules, seul, mangeant un gâteau.) Puis ce fut un joli bout de femme désinvolte qui tenait le coup dans les cafés, mieux que les poètes, jusqu'à six heures du matin. Une autre fois, ce fut une jolie veuve toute blonde. Ils eurent des sorties à trois. (Cour-jardin de l'appartement de Jules : une femme sort par une porte (zoom arrière) et dit bonjour à Jim, puis à Jules.) Elle déconcertait Jules qu'elle trouvait gentil, mais ballot... (La même fille avec Jules, puis panoramique sur une autre fille.) et amena pour lui une amie placide, mais Jules la trouva placide. Enfin, malgré l'avis de Jim, Jules prit contact avec des professionnelles... (Gros plan d'une plaque d'hôtel. Jules s'approche et entre dans l'établissement. Plan transparence, d'une fenêtre, d'un homme baisant la main d'une femme, puis gros plan flash d'une jambe de femme aux bas noirs, qui porte une montre-bracelet autour de la cheville.) ... mais sans y trouver satisfaction.

Ruelles de Paris/nuit

Il fait nuit et les rues sont à peine éclairées. Par panoramique, on suit Jules et Jim qui discutent, tout en marchant. Ils croisent un homme et une femme (Merlin et Thérèse) qui, les apercevant, s'embrassent fougueusement. Dès que Jules et Jim s'éloignent, Merlin se redresse. Derrière le couple, sur une palissade, il est écrit en grosses lettres blanches : « Mort aux... »

Merlin. Allez, au boulot !...

Merlin prend le pinceau qui est dans le seau de peinture tenu par Thérèse. Il finit par écrire : « Mort aux autre », mais n'a plus assez de peinture pour le « S » final.

Merlin, furieux. Y a plus de peinture, salope ! (Il la gifle.) On va encore dire que les anarchistes n'ont pas d'orthographe !

Plan éloigné : Merlin s'apprête encore à battre Thérèse. Celle-ci affolée se sauve en courant vers la caméra. Elle court et rejoint Jules et Jim.

Thérèse. Sauvez-moi ! C'est Merlin qui me poursuit. Il est plus costaud que vous. Courons tous les trois !

Elle *se* met entre eux deux, les prend par le bras et les entraîne. (Enchaîné.)

Coll. « Points-Films », Seuil, pp. 14 à 19.

| Roman | ← | Être | → | Film |

Roman ← **Être** → **Film**

- Noms et/ou dénominations : *Jules/Jim, il.*
- Informations :
— substantifs : *étranger, yeux comme des boules...*
— Adjectifs : *petit, rond/grand, mince.*
— champ sémantique pour Jules : douceur, calme, subordination.

Images en séquences rapides : les acteurs Oscar Werner (Jules) et Henri Serre (Jim) : ensemble, avec d'autres personnages, séparés. Aspect physique contrasté, costumes du passé.
Voix-off + images : complémentarité de l'information (Jules → gros plan sur O. Werner : le signifiant phonique se double d'un signifiant icônique, au *nom* Jules s'accole une *image* ; de même pour Jim), redondance aussi (« fouillait » → plan de Jules et Jim fouillant).

Roman ← **Faire** → **Film**

— Verbes et adverbes : *avait demandé, avait procuré, avait emmené, fouillait doucement, choisissait, naquit, crût.*

Nombreuses actions filmées avec changements de lieux et de personnes, mais sans lien temporel marqué (séquence a-chronologique). C'est la

— Marques temporelles : plus-que-parfait → passé simple, *et* (2ᵉ phrase), *pendant que, pendant.*

On note : analogie entre les signifiants (*Jules* et *Jim*), contrastes physiques, insistance sur Jules.

voix-off qui marque la temporalité. Accessoires centrés sur le jeu, le déguisement, l'art.

On note que les adjectifs ont disparu dans le commentaire de la voix-off : le contraste physique entre H. Serre et O. Werner est visible. Actions nombreuses et symboliques : complémentarité et compétition (duel, course, dominos). Résumé sommaire du film, mais avec des énigmes (qui sont la petite fille, le guitariste, les femmes ?).

9.2. Sur les personnages d'un récit écrit : Une partie de campagne de Guy de Maupassant

Nous présentons sur le tableau suivant :
— colonne de gauche : les personnages ;

	Signifiants			Qualifications		Portraits descriptions		Paroles prononcées		Actions	
	Nombre	Nombre total	Connotations (1)	Physiques	Connotations sociales	Nombre	Connotations	Nombre en lignes (2)	Connotations	Nombre	Connotations
Mme Dufour	12 (3)	40	— (4)	—	—	7	— (5)	16	— (6)	15	— (7)
M. Dufour	6 (8)	25	—	— (9)	—	2	—	9	— (10)	10	— (11)
Henriette	5 (12)	38	+	+ (13)	—	5	+	4	? (14)	18	+
Henri	5 (15)	38	+	+ (16)	+	0 (17)	+	11	+ (18)	18	+
Le garçon aux cheveux jaunes	4 (19)	9	—	—	—	3	— (20)	5	—	8	— (21)
La grand-mère	2 (22)	6	—	—	—	0		0		2	(23)
La servante	1	2	—	∅	—	∅		1/2	∅	2	∅ (24)
Un homme	1	1		∅	∅	∅		∅		1	
Le rossignol	2 (25)	15	+	∅	∅	∅		∅		9	+ (26)
La famille Dufour	6 (27)	19	—	∅	—	2 (28)	?	∅		9	
Les deux canotiers	9 (29)	24	+	+	+	2	+	7	+	14	+ (30)

(1) Les connotations sont positives (+), négatives (—) ou neutres (Ø). Elles sont toujours définies par les valeurs (affectives, sociales, idéologiques) que l'époque, le contexte, l'auteur et le lecteur donnent aux mots.

(2) Nous ne décomptons ici que les paroles rapportées au style direct. Celles qui sont rapportées au style indirect et indirect libre seront considérées comme des actions (raconter).

(3) *Mme Dufour, Pétronille, elle, la femme, sa femme, la mère, la grosse dame, l'énorme dame, la patronne, madame, ma bonne, une voix.*

(4) Prénom ridicule, qualifications péjoratives, marques sociales dévalorisantes (*la patronne, ma bonne*).

(5) Champs sémantiques dominants : embonpoint, lourdeur, crainte, rouge, sensualité.

(6) Mme Dufour profère surtout des banalités (« Il y a de la vue », « Le bien beau temps ») ou des phrases comiques (« vous n'avez jamais froid comme ça ? »).

(7) Les actions de Mme Dufour apparaissent ridicules par contraste avec celles de sa fille (épisode de la balançoire, relations avec les canotiers).

(8) *M. Dufour, l'époux, le mari, Cyprien, il, le bonhomme.*

(9) Champs sémantiques dominants : lourdeur, abrutissement.

(10) Noter que c'est le commentaire du narrateur qui accentue l'aspect négatif des banalités proférées par M. Dufour (« il s'échauffait en pérorant »).

(11) Ici, il faut tenir compte de l'évolution du récit : d'abord neutres (il conduit la voiture, dételle, se lave), ses actions deviennent ridicules (il pousse sa femme, se vante d'exploits imaginaires, se livre à une grotesque gymnastique), puis nulles (il pêche).

(12) *La jeune fille, Mlle Dufour, elle, la fille* (au sens parental), *compagne* (noter l'évolution du signifiant parallèle à celle du récit).

(13) Champs sémantiques dominants : légèreté, jeunesse, beauté, sensualité, finesse, brunitude.

(14) Henriette parle peu, ce qui ne fait qu'accentuer le pathétique de la réplique finale (« Moi, j'y pense tous les soirs »). A quel critère se référer pour apprécier ces paroles ?

(15) *Henri, le rameur, lui, il, le jeune homme, compagnon* : nous ne retenons que les signifiants attribuables de façon certaine à Henri.

(16) Champs sémantiques dominants : robustesse, éducation, savoir-faire (savoir parler, savoir ramer, etc.).

(17) Aucun portrait d'Henri seul : les deux canotiers sont confondus, mais cela n'empêche pas de noter une connotation positive.

(18) Actions et paroles sont valorisées par la narration (ex. : emploi de *poétiquement*).

(19) *Le garçon aux cheveux jaunes, le jeune homme aux cheveux jaunes, l'apprenti, son mari.*

(20) Il se confond avec M. Dufour : lourdeur, mollesse, abrutissement. Mais il est plus effacé (pas de nom).

(21) Raréfaction et répétitions des actions : il mange et dort.

(22) *La grand-mère, la bonne femme.*

(23) Actions pratiquement nulles : la grand-mère complète le tableau familial. Cependant elle figure peut-être, avec Mme Dufour, l'avenir d'Henriette.

(24) Personnage fonctionnel, socialement inférieur aux Dufour, mais sans rôle moteur dans le récit.

(25) *Rossignol, oiseau.*

(26) C'est le chant du rossignol qui est surtout valorisé. Le rôle de l'oiseau est important, mais ne survient qu'à un moment du récit.

(27) *On, les, toute la famille, la famille, la famille Dufour, bourgeois privés d'herbe.*

(28) Il est difficile de distinguer la famille prise dans son ensemble, des membres qui la composent. Ces deux descriptions sont en fait des énumérations.

(29) *Deux jeunes gens, les propriétaires des yoles, les canotiers, ils, étrangers, deux solides gaillards.* Et si l'on ajoute les mentions concernant l'un et l'autre alors qu'ils sont encore indifférenciés : *l'un, l'autre, monsieur.*

(30) Champs sémantiques dominants : voir (16).

— colonne « signifiants », le nombre de signifiants différents affectés à chaque personnage, le nombre total de désignations, les connotations — voir note (1), les chiffres entre parenthèses renvoyant aux notes ;

— colonne « qualifications », les connotations physiques et sociales, appréciées dans leur ensemble ;

— colonne « portraits », le nombre de descriptions et les connotations ;

— colonne « paroles », les lignes de dialogue, avec les connotations ;

— colonne « actions », le nombre d'actions d'après les verbes d'action, avec les connotations (toujours globalement appréciées, et à confronter avec d'autres appréciations, bien entendu).

Le relevé des dénominations propres à chaque personnage de la nouvelle fait apparaître :

• que certains personnages sont désignés par plusieurs signifiants, par opposition à d'autres qui n'en ont qu'un (ex. : *Mme Dufour, Pétronille, la femme, la grosse dame* Vs *la servante ; M. Dufour, l'époux, Cyprien* Vs *un homme*) ;

• que certains personnages ont nom et prénom par opposition à d'autres qui n'ont qu'un prénom (ex. : *Henriette Dufour* Vs *Henri*), ou aucun patronyme (le garçon aux cheveux jaunes) ;

• que la fréquence des désignations met au premier plan Mme Dufour, Henriette et Henri, suivis de M. Dufour.

Quantitativement (nombre de paroles prononcées, d'actions), ces personnages occupent le devant de la scène. Cependant, si l'on tient compte de l'évolution du récit, on note l'effacement progressif de M. Dufour (et l'apparition du rossignol). Les deux canotiers, d'abord confondus (appellations, descriptions) sont différenciés : Henri prend un nom, l'autre disparaît presque dans son anonymat (il est alors réduit à sa fonction dans le récit : s'occuper de Mme Dufour).

Les signifiés (champs sémantiques, actions) définissent des axes d'opposition fondés sur des différences d'ordre physique ou social (hommes/femmes, beaux/laids, mariés/non mariés, boutiquiers/canotiers). Les pôles préférentiels sont marqués par la narration en référence aux valeurs de l'auteur, de l'époque, peut-être du lecteur. A cet égard, les mots sont souvent plus « rentables » que les images, moins exposés à l'obsolescence : ainsi les champs sémantiques définissant le personnage d'Henriette (plénitude des formes, légèreté, jeunesse) laissent libres les lecteurs de se référer aux canons de beauté en vigueur, d'évoquer (de fantasmer ?) la femme de leur choix...

M. Dufour, Mme Dufour et l'apprenti présentent tous les

caractères négatifs. Henri et Henriette ne se séparent que sur un point : la différence sociale, peu marquée dans le récit, mais déterminante. Inversement Henriette et l'apprenti ne se rejoignent que dans leur condition sociale. On voit bien alors se dessiner les couplages, groupements et contrastes sur lesquels Maupassant a bâti le récit :

Hommes	**Femmes**
Les canotiers	Henriette, Mme Dufour
M. Dufour, l'apprenti	

Beaux	**Laids**
Henriette	Mme Dufour,
Les canotiers	l'apprenti, M. Dufour

Boutiquiers	**Canotiers**
La famille Dufour	Les canotiers
Henriette	Henri

L'itinéraire des personnages :

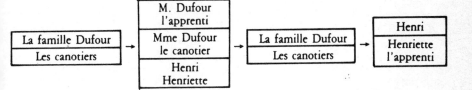

Une partie de campagne est le récit d'une série d'appariements grotesques (M. Dufour-l'apprenti, Mme Dufour-le canotier), impossibles (Henri-Henriette, couple « appelé » par la ressemblance des noms, l'âge, la beauté, la force, le désir, brisé par la différence sociale) ou navrant (Henriette-l'apprenti).

Désiré, valorisé mais sans lendemain : l'accouplement « naturel » (voir le rôle du rossignol, sorte de personnage symbolique et médiateur) ; dévalorisé mais « fatal » : l'accouplement social (classe, mariage). La mère et la fille, figures contrastées mais ayant des statuts narratifs équivalents, renvoient l'une à l'autre, images grotesques et pathétiques d'un désir et d'un destin sans issue.

9.3. *Sur les personnages d'un récit filmique :* Une partie de campagne, *de Jean Renoir*

Le cinéma est, en un sens, un art plus démocratique que la littérature : il distribue à tous les personnages un physique. Démocratie forcée, dira-t-on, et qui contraint peut-être Renoir à distribuer plus également que Maupassant les noms (le garçon aux cheveux jaunes est baptisé Anatole, le second canotier Rodolphe) et les parts de dialogue (Anatole, la servante, Rodolphe, la grand-mère). Par ailleurs le fréquent regroupement de plusieurs personnages dans le même plan, le montage alterné (la famille Dufour/les canotiers, puis Rodolphe-Mme Dufour/Henri-

QUALIFICATIONS / PERSONNAGES	Etre								Faire			
	gros	mince	vieux	jeune	laid grotesque	beau, non grotesque	commerçants	classe + élevée	inactif	actif	maladroit	adroit
M. Dufour (1)	X		X		X		X		X	X		
Mme Dufour (2)	X		X			X	X			X	X	
Henriette (3)		X		X		X	X			X	X	X
Anatole (4)		X		X	X		X		X	X		
La grand-mère (5)		X	X		X		X		X	X		
Henri (6)		X		X		X		X		X		X
Rodolphe		X		X	X			X		X		X
M. Poulain	X		X		X		X		X			
La servante		X		X			X			X		X

(1) C'est Gabriello, énorme, et sa diction " embarrassée ".
(2) Jane Marken, opulente, voix pointue.
(3) Sylvia Bataille, grande et belle, un peu gauche, débit irrégulier de paroles.
(4) Maquillage blafard, accoutrement clownesque.
(5) Sourde : détail ajouté par Renoir, source de comique.
(6) Bel homme sérieux.

Henriette) instaurent un statut plus égal des personnages. Cependant par le nombre et la nature des plans (gros plans, plans moyens, recadrages), par l'importance du dialogue et des actions ce sont Henriette, Mme Dufour, Henri et Rodolphe qui occupent le plus l'écran*.

L'aspect physique des acteurs, leurs vêtements, leurs langages (contenu des phrases, style, intonation, débit, défaut de prononciation, timbre de voix), leurs comportements définissent des axes d'opposition qu'accentue parfois le montage (montage alterné, champ-contrechamp) :

Remarques sur ce tableau : M. Dufour accumule tous les traits négatifs, Henri tous les traits positifs (opposition cumulant dans le fait que M. Dufour se refuse à sa femme alors qu'Henri cherche à séduire Henriette). Les traits positifs d'Anatole (jeune, mince) sont effacés par le grotesque de son accoutrement et sa laideur. Au contraire, chez Rodolphe, les traits positifs ne sont que légèrement contre-balancés par des mines amusantes, la moustache trop conquérante, un timbre de voix cocasse, ce qui est suffisant pour donner l'avantage à Henri (le grotesque de Rodolphe n'est donc pas celui d'Anatole : il y a toujours lieu de nuancer les affirmations trop péremptoires d'un tableau). Nous n'avons pu nous résoudre à qualifier Mme Dufour de laide et grotesque, malgré sa robe, les mines et la voix inimitable de Jane Marken : c'est qu'un gros plan lumineux de Renoir réunissant la mère et la fille, et une réplique (voir 6.2., *Suggestions*) dite soudain sur un ton autre (« Mais ma petite fille, je l'sens encore » : il s'agit de « tendresse », de « désir vague », d'« envie de pleurer ») suffisent à créer une image séduisante et pathétique du personnage. C'est ce qui rendra vraisemblable la réunion de Rodolphe et Mme Dufour (que par ailleurs, le père Poulain trouve « rudement bien » : elle est bien objet de désirs). Les images vont ici à l'encontre des intentions de Rodolphe (s'occuper de la fille, laisser la mère à Henri) ; elles accouplent dès le début Henri à Henriette, Rodolphe à Mme Dufour, voir **Photos 20 et**

---

* Une analyse rigoureuse conduirait à un dénombrement complet des plans, ce qui ne peut se faire qu'à la visionneuse. Nous travaillerons donc dans ce que nous pensons être les conditions optima d'une collectivité « ordinaire » : à partir de plusieurs visions normales du film (mais sans visionneuse). Ajoutons que le n° 21 de « l'Avant-Scène » ne fournit (malheureusement) pas la numérotation des plans.

21, par le jeu des dissemblances (ce qui ne fera que rendre plus « scandaleux » l'appariement final : Anatole enlaçant Henriette), et par le montage : voir p. 38-39, la séquence rassemblant Mme Dufour, Rodolphe, Henriette et Henri, construite sur la succession des plans suivants et opérant la conjonction Henri-Henriette :

(PM = plan moyen, GP = gros plan, PR = plan rapproché, PE = plan d'ensemble.)

PM Mme Dufour, Henriette, Rodolphe
↓
GP Henri
↓
PM (Idem)
↓
recadrage Henri et retour à *PM*
↓
PR Mme Dufour, Henriette
↓
GP Henri
↓
GP Henriette
↓
recadrage Mme Dufour
↓
PR Rodolphe, Henri
↓
PR Mme Dufour, Henriette
↓
PE 4 personnages, Mme Dufour, Henriette
↓
PE en contrechamp : Henri, Rodolphe
↓
Henriette rejoint Henri et dialogue

On voit se dessiner les couplages :

« naturels » :
⎱ M. Dufour-Anatole
⎰ Henri-Henriette
⎱ Rodolphe-Mme Dufour

sociaux : Anatole-Henriette

M. et Mme Dufour sont mari et femme et se ressemblent. Mais le plan dont nous faisions mention semble indiquer l'existence d'une autre Mme Dufour, plus naturelle que sociale : son mari l'aurait-il fait ce qu'elle est devenue ? Et, dans ce cas, que va devenir Henriette ? Henri répond dans une saisissante anticipation : « Voilà peut-être une vie brisée, gâchée, quoi... »

L'image cinématographique permet aussi à Renoir de renvoyer à d'autres images :

— toiles d'Auguste Renoir (scène de la balançoire, d'abord cadrée, nous l'avons vu, comme un tableau ; personnage d'Henriette, canotiers),

— dessins de Christophe peut-être (*La famille Fenouillard* : les ressemblances sont évidentes et le gag du godillot pêché vient tout droit de la bande dessinée),

— films de Laurel et Hardy (le couple Anatole-M. Dufour reproduit le tandem comique : aspect physique, autorité de M. Dufour-Hardy, grimaces et gémissements d'Anatole-Laurel),

— film de Pierre et Jacques Prévert, *L'affaire est dans le sac* (1932) : J.B. Brunius (Rodolphe) était l'un des interprètes de ce film, les frères Prévert sont malicieusement nommés (p. 37), l'irruption des séminaristes est un gag très « prévertien ».

Les personnages se constituent ainsi en référence à d'autres personnages, du moins pour les spectateurs qui, consciemment ou non, sont sensibles à l'« inter-texte ».

Notons pour clore ce tour d'horizon trop sommaire, le changement physique d'Henri et Henriette à la dernière séquence, marqué par le contraste vêtements sombres/vêtements clairs, indicateur temporel et indice psychologique.

9.4. Personnage, actant, acteur, rôle

Selon Marc Vernet (55, p. 177), le personnage de film se situe toujours « entre actant et acteur ». Nous essaierons ici d'élucider quelque peu cette remarque et d'interroger ses possibles prolongements pédagogiques. Il ne saurait être question de reprendre toute la problématique concernant les notions de personnage et d'actant : nous renverrons donc le lecteur, pour plus amples informations, à quelques ouvrages importants sur ce sujet (1, 47, 55).

Selon la terminologie de A.J. Greimas, les **acteurs** d'un récit sont des entités figuratives anthropomorphes désignées par un ou plusieurs termes (nom propre ou autre) et pourvues de qualifications différentielles. Les acteurs peuvent être humains ou non humains. Ils sont, en principe, dans un récit donné, identifiables et définissables sans équivoque : ils sont constitués de la somme des prédicats qualitatifs et fonctionnels attribués au(x) terme(s) qui les nomme(nt). Ce que sont et font les acteurs définit des **rôles** thématiques dans le récit : traître, justicier, protecteur, mère, séducteur, voleur, etc. Des acteurs différents peuvent tenir le même rôle, un même acteur peut changer de rôle au cours d'un récit.

En se plaçant d'un point de vue plus général, Greimas propose un autre critère de classification fondé sur ce que font les acteurs dans le récit (selon leur fonction). Opérant une réduction de ces fonctions il propose une distribution des acteurs en six **fonctions actantielles** (réduit à une fonction, l'acteur devient **actant**) :

sujet	/	*objet*
(fait l'action)		(est l'objet de l'action)
destinateur	/	*destinataire*
(détermine ou surdétermine l'action, en est l'origine, le propulseur)		(reçoit les effets, les conséquences de l'action, est celui pour qui l'action est accomplie)
adjuvant	/	
(favorise l'action)		*opposant*
		(contrecarre l'action)

Voir A.J. Greimas, *Sémantique Structurale*, Larousse, 1966.

Dans *Une Partie de Campagne* de Maupassant, le cours du récit fait apparaître un processus de séduction. Dans ce schème, l'actant-sujet est le séducteur, manifesté, actualisé en deux acteurs, Henri et l'autre canotier. Pour l'ensemble de la nouvelle, on obtient : voir tableau A page suivante.

Commentaires. Nous reprendrons ici, en guise de commentaire de ce tableau, le schéma proposé par Richard Monod dans *Les Textes de Théâtre* et qui permet de faire figurer clairement les divers actants d'un récit avec leurs relations (71) : voir tableau B page suivante.

Tableau A

Acteurs	Rôles thématiques	Fonctions actantielles (par rapport au schéma de séduction)
Henri l'autre canotier	jeune homme, séducteur, canotier	sujet/destinataire
Henriette	fille de, belle jeune fille à séduire *puis* fille séduite *puis* femme mal mariée	objet
Mme Dufour	mère, épouse, femme mûre	objet
M. Dufour	père, époux, commerçant petit-bougeois	opposant (éventuel)
Le garçon aux cheveux jaunes	commis, " futur " *puis* mari	opposant (éventuel)
La Nature et le Désir		destinateur
Les éléments naturels, le rossignol	chanteur	adjuvants

Tableau B

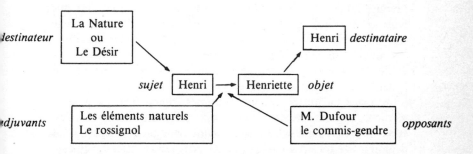

Dans un récit écrit, l'acteur est défini par des mots (noms propres, substantifs, adjectifs, verbes). Dans le récit filmique, fonctions actantielles et rôles sont pris en charge essentiellement par des êtres humains qui jouent la comédie et dont l'image paraît sur l'écran : les acteurs (nous laisserons de côté ici les acteurs non humains, ce qui ne signifie qu'ils sont absents des récits filmiques : dans *Une Partie de Campagne* de Renoir, la rivière et le rossignol sont bien des acteurs du récit). On sait que le terme *incarner,* avec tout ce qu'il implique d'illusion référentielle et de confusion idéologique, exprime ce processus.

Le récit filmique indique les qualifications différentielles des personnages, leurs rôles thématiques, leurs fonctions actantielles par des moyens

— spécifiquement cinématographiques (nombre de plans, cadrages, mouvements d'appareils, évolutions des acteurs dans le plan ou d'un plan à un autre, etc.)

— non spécifiquement cinématographiques, issus notamment de techniques dramatiques (maquillage, costume, geste, mimique, accessoire, voix : mais ces moyens ont, avec le temps, acquis une spécificité liée à leur utilisation filmique, comme il est facile de le montrer sur l'exemple du maquillage ou de la voix).

Il ne nous paraît pas pertinent de considérer le personnage filmique comme l'« incarnation » d'un personnage littéraire (provenant d'un roman ou d'un scénario), ce qui laisse entendre que l'existence première du personnage est littéraire et que son existence filmique n'est que l'effet d'un ajout, d'un surplus. En fait, personnage littéraire et personnage filmique sont deux signes qui diffèrent par le signifiant (par la substance et la forme de l'expression), et par la forme du contenu. Pour ce qui est du premier aspect du personnage (le signifiant), il est évident que, dans le film de F. Truffaut, Jules, personnage créé par le romancier H.P. Roché avec des mots, est d'emblée l'image qu'offre à l'écran l'acteur Oscar Werner (petite taille, blondeur, visage rond et doux), sa voix à l'accent germanique, son nom prononcé par le récitant puis par d'autres personnages. Ce sont les avatars de cette image (attitudes, actions, costumes, changements physiques, relations aux autres personnages) qui définiront son (ses) rôle(s) et sa (ses) fonction(s). Il est assez vain, dans cette perspective, de déplorer que tel acteur n'est pas tel personnage littéraire (Gérard Philippe, Julien Sorel ; Valentine Tessier, Mme Bovary) puisque, même si les traits définis par les mots sont respectés (et ce n'est que sur ceux-ci qu'on peut, à la rigueur, se mettre d'accord), un acteur sera toujours autre chose qu'un ensemble de mots.

En ce qui concerne la forme du contenu du personnage, il semble que l'industrie et le commerce cinématographiques aient joué un rôle non négligeable dans son édification, si bien que l'existence littéraire (dans le scénario) est bien souvent surdéterminée par le traitement spécifique que le personnage est appelé à recevoir. On peut en déceler une preuve dans les différentes relations répertoriées par Edgar Morin, entre le rôle et l'acteur (74) :

— le rôle absorbe l'acteur : derrière Zorro, la personnalité des interprètes disparaît ;

— l'acteur assume, d'un film à l'autre, des rôles divers, hétérogènes (rôles dits « de composition », seconds rôles) ;

— l'acteur assume des rôles semblables, mais secondaires, des rôles constants sont distribués à des acteurs types : nous sommes dans le domaine de l'emploi ;

— l'acteur assume, de film en film, un rôle unique en tant que personnage principal, « joueur et joué se déterminent mutuellement » (74) : c'est la condition d'apparition de la « star », favorisée par le « star-system ». Dans ce cas le rôle et l'acteur inter-agissent sans se neutraliser. Cette interaction peut produire un personnage complexe, mythique, à la fois héros (rôle diégétique), homme (acteur) et dieu (mythifié par le « star system » : divinisation ou, à tout le moins, idéalisation accomplie par les mass-media, entérinée par le public). Les rôles de la « star » sont différents et semblables ; ce sont leurs points communs qui dessinent la figure mythique. Le mythe se fige (Rudolph Valentino), évolue avec le temps et les pressions socio-économiques (Jean Gabin, Jean-Paul Belmondo) ou s'enrichit des rôles et de la personnalité de l'acteur (H. Bogart), cet itinéraire conduisant parfois à l'éclatement du mythe, comme le veulent certains acteurs contemporains (M. Mastroianni). L'acteur impose son mythe (en imposant des rôles, un type de scénario, des péripéties précises) et en est parfois la victime (les producteurs, les cinéastes, le public le forcent à se modeler à l'image qu'il a créée et qui le fige).

« Star-system » et vedettariat ont favorisé la prédilection du récit filmique pour le personnage central. Rares sont les films à personnage collectif ou à personnages multiples égaux en statut structural (voir 9.1.). Tout s'ordonne donc en fonction du « héros » : fiction, personnages secondaires, décors, production, tournage. L'interprétation par une « star » d'un personnage principal a pour effet l'effacement des autres personnages, de façon bien plus radicale qu'un héros de récit écrit supplante les autres rôles : c'est que ce privilège se traduit par une présence physique envahissante (nombre de plans, fréquence des premiers et des gros plans, actions, etc.). La hiérarchie des acteurs détermine les statuts filmiques et diégétiques (distribution des rôles et des fonctions actantielles). Sur le plan narratif, la place du personnage central est ambiguë : le film focalise *sur* lui mais aussi *par* lui. En d'autres termes, le spectateur voit le héros et voit avec lui. Par ailleurs, ce que le spectateur voit ce sont essentiellement des actions ; le héros se définit devant lui par ce qu'il fait. C'est en ce sens que le héros filmique se situe entre acteur (on ne peut oublier que l'on regarde un acteur) et actant : un visage et un corps de vedette embrayent la fiction.

Exemple 1 : Jean Gabin, vu par Jacques Siclier, *Le Monde* : J. Siclier a écrit en collaboration avec Jean-Claude Missiaen un ouvrage sur Gabin.

Le mythe du mauvais garçon

C'est en 1934, dans *Maria Chapdelaine*, de Julien Duvivier, que Jean Gabin — jusque-là jeune premier viril et romanesque dans une dizaine de films qui n'ont guère laissé de trace — trouva à l'écran, pour la première fois, une mort dramatique. La mort l'attendait à nouveau, dans *la Bandera* (1935, son premier grand succès) où, criminel engagé dans la légion étrangère espagnole, il se rachetait au Maroc par un combat héroïque contre les rebelles. La mort encore fut son destin dans *Pépé le Moko* (1936) où, bandit guetté par la police, il quittait son refuge de la Casbah d'Alger pour aller se suicider devant les grilles du port en criant le nom de la femme aimée qu'un bateau emportait. Entre-temps, Julien Duvivier avait aussi tourné *la Belle Equipe* (1936), où Gabin, devenu prolétaire parisien, chômeur, puis associé en coopérative à la construction d'une guinguette au bord de la Marne, tuait son dernier copain dans une crise de jalousie provoquée par la garce Viviane Romance. Vraie fin logique d'un film auquel les producteurs firent ajouter une fin heureuse, une fin postiche.

C'est donc Duvivier qui, dans cette période cruciale des années 30 — luttes politiques et sociales, espoir puis déception du Front populaire, — a créé le personnage cinématographique de Gabin, le mythe dont toute sa carrière allait rester marquée. Ouvrier ou mauvais garçon, Gabin est alors un type physiquement solide mais comme élu par la fatalité. C'est un être en marge, un héros de faits divers, capable de brusques

colères et d'accès de passion, malheureux en amour, car il rencontre plutôt des femmes fatales, et constamment guetté par la mort. Avec Gabin, Duvivier et son scénariste Charles Spaak offrirent au public un nouveau romantisme.

C'est ce romantisme qu'allaient perfectionner Prévert et Carné en reprenant dans *Quai des brumes* (1936) et *le Jour se lève* (1939), cette mythologie de l'homme qui ne peut socialement se fixer, qui rêve d'amour impossible et se fait faucher par une fatalité métaphysique.

Le personnage de Gabin s'inscrit alors dans cette esthétique prestigieuse et un peu morbide du « réalisme poétique », dont Carné fut le maître incontesté. Poésie brumeuse des ports et des rues du malheur, de la pluie et des pavés mouillés, des *Enfants qui s'aiment,* et dont les méchants brisent le bonheur. La mort est toujours là. Même Jean Grémillon (avec *Gueule d'amour*) et Jean Renoir (avec *la Bête humaine*) n'échappèrent pas à cette mythologie du malheur et de la mort violente. Mais Renoir fit apparaître les pures qualités d'acteur de Gabin dans *la Grande illusion,* film en marge de tout ce courant.

Exemple 2 : le western.

Qu'est-ce qui détermine la figure de tel ou tel personnage central de récit filmique ? Par exemple, le « westerner » (l'homme de l'ouest, héros de western), dont les caractéristiques sont issues :

— de la personnalité des interprètes (Gary Cooper, John Wayne, Henry Fonda, Kirk Douglas, Richard Widmark, Charles Bronson, Paul Newman, Jack Nicholson, Robert Redford, etc.) ;

— de la problématique et de l'univers propres à certains cinéastes (John Ford, Anthony Mann, Monte Helman, Arthur Penn, etc.) ;

— du contexte socio-historique

• de la diégèse (conquête de l'Ouest et épopée des pionniers, début du 20ᵉ siècle et disparition progressive des westerners)

• du tournage (mythe du héros pur dans le cinéma muet, reconstitution de l'épopée de l'Ouest jusqu'en 1945, vieillissement du héros des années 50 et réhabilitation de l'indien, personnages brutaux, cruels ou « réfléchis » des années 60-70) ;

— des interactions entre ces divers éléments (Ex. : *The Missouri Breaks* d'Arthur Penn, 1975, caractéristique de la prédilection du metteur en scène pour les cas pathologiques et les situations de rupture brutale, marqué par le travail et les exigences de deux « stars », M. Brando et J. Nicholson, et par la violence et la crudité du western issu de la production italienne — Sergio Leone — relayée par les Etats-Unis — Sam Peckinpah).

10. POINTS DE VUE, PERSPECTIVES NARRATIVES, FOCALISATIONS

Gérard Genette (42) souligne, à propos de la question de la perspective narrative, la nécessité de distinguer nettement deux ordres d'interrogation :

« Quel est le personnage dont le point de vue oriente la perspective narrative ? » (ou encore : « Qui voit ? »)

et « Qui est le narrateur ? » (ou encore : « Qui parle ? »).

Cette distinction recoupe celle des **modes** (régulation de l'information narrative : choix de ce qui est raconté, perspectives ou focalisations) et des **voix** (énonciation narrative dans ses manifestations). Elle permet de rappeler qu'il y a lieu de ne pas confondre d'une part personnage, narrateur et auteur, d'autre part destinataire du récit et lecteur.

10.1. Focalisations (Qui voit ?)

Nous résumons la position de G. Genette, qui reprend et prolonge les travaux de Jean Pouillon et Tzvetan Todorov (29). A la question « Qui voit ? » trois réponses possibles :

1. Un narrateur omniscient qui en dit *plus* que n'en savent les personnages.

2. Un narrateur qui ne dit *que* ce que voit tel personnage (récit « à point de vue », « vision avec »).

3. Un narrateur qui en dit *moins* que n'en sait le personnage (récit « behavioriste »).

Les récits de type 1 sont *non focalisés* (ou à *focalisation zéro*).

Les récits de type 2 sont à *focalisation interne*, fixe (on ne quitte pas le point de vue d'un personnage, ce qui implique une restriction de champ) ou variable (on passe d'un personnage à l'autre) ou multiple (les mêmes événements sont racontés plusieurs fois selon les points de vue de personnages différents : romans par lettres, *Les Girls* de Georges Cukor).

Les récits de type 3 sont à *focalisation externe*, les personnages et les événements étant considérés de l'extérieur, sans explication sur pensées, sentiments, par une sorte de témoin innocent et ignorant. Bien entendu, beaucoup de récits sont des mixtes de ces différents types, certains épisodes étant racontés en focalisation externe (Genette cite la scène du fiacre dans *Madame Bovary*), d'autres en focalisation interne.

On peut assister à des inversions ou des échanges ou des ambivalences dans les focalisations.

Par ailleurs la focalisation interne fixe présente des degrés de réalisation divers et Genette l'indique en citant *La Chartreuse de Parme* (focalisation interne sur Fabrice, mais non rigoureuse puisque le personnage est désigné de l'extérieur : il s'agit d'un récit à la 3ᵉ personne), les récits en monologue intérieur, *La Jalousie* de Robbe-Grillet et *La Dame du Lac*, film de Robert Montgomery (dans ces deux récits le personnage central ne se nomme ni ne se montre : on déduit son existence de sa position focale).

Pour plus de détails, on se reportera aux études de G. Genette, Françoise Van Rossum-Guyon (107), Tzvetan Todorov. Deux aspects de la question nous retiendront ici : Comment les divers types de focalisation sont-ils « lisibles » dans le récit écrit et le film ? à quelle(s) fonction(s) correspond le choix d'une focalisation (ou de multiples focalisations, ou de la variation de focalisations) ?

10.1.1. Les marques de la focalisation dans le récit écrit

Deux ensembles de marques de la focalisation dans le récit écrit peuvent être retenues :

— un ensemble concernant le contenu de ce qui est raconté dans son rapport avec le(s) narrateur(s) ou l'instance narrative ;

— un ensemble de marques proprement linguistiques.

Ainsi le récit à focalisation interne fixe se reconnaît à ce que les événements rapportés sont (ou furent) tous vécus ou portés à la connaissance du personnage sur (par) lequel s'opère la focalisation.

C'est cette contrainte que certains critiques désignent par l'expression de *restriction du champ* : *Le Moulin de Pologne*

(Jean Giono, 1952) constitue, à cet égard, un petit tour de force malicieux : le narrateur nous rapporte à la première personne l'histoire de toute une famille entre la chute de l'Empire et le début du siècle ; il décrit et raconte avec force détails des événements qu'il n'a pas vécus, mettant au compte de la rumeur (très active dans la petite ville qui sert de cadre à l'histoire) ce qu'il expose (« il est de notoriété publique que... on parle de... on la représente... »), avouant parfois qu'il « brode » (« J'ai plaisir à imaginer que... »).

Ce sont des marques linguistiques qui différencient la focalisation *sur* de la focalisation *par* un personnage : désignation à la 3e personne dans le premier cas (l'instance narrative nomme le personnage, le désigne par des termes comme « il/elle... notre héros... la jeune fille... etc. »), récit à la première personne dans le second.

Mais ce sont aussi des marques linguistiques qui situent les éléments du récit (espace et temps) par rapport au personnage : temps verbaux, démonstratifs et possessifs, adverbes.

Les récits de type I (non focalisés) réalisent l'énonciation historique telle que la décrit E. Benveniste (17) : emploi de l'aoriste (passé simple ou passé défini), de l'imparfait et du plus-que-parfait, des présents « intemporels » et « historiques », de la 3e personne, effacement du narrateur derrière les événements qui « semblent se raconter eux-mêmes ». Ce type de récit permet de passer d'un élément à un autre sans contrainte autre que celle de la logique objective des faits. Bien entendu, ce type de récit s'efforce de simuler une « objectivité » qui n'est qu'apparente et de masquer tout ce qui est agencement, structuration d'éléments choisis. Cette écriture « neutre » confère aux événements le poids de « ce qui a été » sans renoncer pourtant à en orienter la lecture (pour une analyse de textes « historiques », voir Adam, 1.).

Les variations ou les ambiguïtés de focalisations sont intéressantes à analyser dans leurs composantes fonctionnelles. Nous prendrons pour exemple un récit de Maupassant, *La Petite Roque* (voir textes au ch. 8.3.2.). La narration démarre en focalisation zéro, suivant le facteur Médéric, manifestant à l'égard de ce qui entoure le personnage une connaissance plus grande que la sienne : « Médéric allait toujours, sans rien voir... ». Cependant on passe à une focalisation interne, à partir de l'épisode de la découverte du cadavre et de l'articulation de l'énigme. A ce moment du récit le narrateur ne peut en dévoiler plus que n'en découvre le personnage, sous peine de dissiper l'énigme. Dès que Médéric s'éloigne du corps de la petite Roque, la narration reprend en focalisation zéro jusqu'à l'entrevue avec le maire. Alors s'opère un relai : le récit est en focalisation externe *sur* Renardet, la narration restant en 3ᵉ personne mais les éléments du texte s'organisant par rapport au personnage (« Devant lui... plus loin... à droite... »). Ensuite on assiste à une combinatoire entre focalisation externe et interne « sur » et même « par ».

Parfois (p. 17) le narrateur en dit moins que n'en sait le personnage. Plus loin, le texte livre des informations ignorées de Renardet : le facteur a colporté la nouvelle et la population du village afflue sur les lieux du crime. Les besoins du récit (ne pas dévoiler l'énigme, justifier la venue des gens du village de manière « réaliste ») induisent des ambiguïtés de points de vue (qui suffiraient à faire deviner le mot de l'énigme).

Le style indirect libre permet de conserver, au sein d'une sorte de monologue intérieur — focalisation interne — la 3ᵉ personne, avec un passage en focalisation zéro au début de la seconde partie du récit (échec des recherches, inquiétude sourde dans le pays, désertion de la futaie, automne, abattage de la futaie). La focalisation interne sur Renardet se produit après que le mot de l'énigme a été donné ; elle est précédée d'un long passage en focalisation externe dans lequel le comportement de Renardet est décrit sans explication (il se place sous un arbre qu'on abat, il pleure, il enfonce le canon d'un révolver dans sa bouche, il inspecte sa chambre, etc.)

Après une seconde entrevue orageuse avec Médéric (focalisation zéro) Renardet se sauve vers la tour de sa maison et le récit se termine en focalisation interne (Médéric voit Renardet se jeter dans le vide) puis zéro (description de la Brindille). Globalement on note une répartition symétrique des points de vue au long du récit :

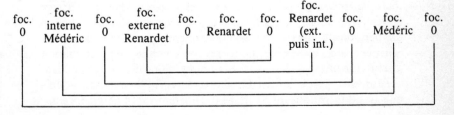

143

Cette répartition souligne le rôle de Médéric, messager du destin, la place centrale de Renardet. Mais on voit que l'instance narrative joue des points de vue selon ses besoins.

10.1.2. Focalisation dans le récit filmique

Deux « foyers » définissent le point de vue dans le récit filmique : l'image et le son.

La place de la caméra manifeste le plus souvent dans les films narratifs courants :

— la focalisation zéro : plans généraux vus du point de vue de Sirius (ou de Dieu, si l'on préfère : mais pourquoi rapporter à une conscience ce qui n'est qu'une localisation ?), repérables dans certaines grandes scènes de bataille, par exemple ; plans descriptifs dans lesquels la caméra (et, par suite, le spectateur) domine les personnages, en « voit » plus qu'eux et ne se substitue à aucun ;

— la focalisation externe : la caméra suit le personnage, le micro enregistre les paroles qui se prononcent et aucune autre information n'est donnée au spectateur que celles qu'il voit, entend et déduit de ce qu'il voit et entend ;

— la focalisation interne (fixe, variable ou multiple : voir plus haut) *sur* un (ou plusieurs) personnage(s) : la caméra suit un personnage, mais des informations supplémentaires peuvent être fournies :

• par un commentaire « Off » prononcé par un personnage qui occupe l'écran ; cette voix intérieure établit une focalisation interne *par* le personnage mais en opérant un décalage temporel (ou autre) entre les paroles et les images ;

• par des moments de focalisation interne *par* le personnage, moments où la caméra se substitue à l'acteur pour livrer une « vision subjective ». Cette procédure de focalisation a rarement été exploitée sur un film entier : on cite traditionnellement *La Dame du lac* de Robert Montgomery (USA, 1947) ; ajoutons que toute la première partie des *Passagers de la nuit* de Delmer Daves (USA, 1947) est ainsi filmée, se clôturant par l'anesthésie du personnage qui se fait volontairement opérer le visage pour échapper aux recherches policières et s'éveille (en focalisation interne *sur* lui) avec les traits d'Humphrey Bogart.

Le dossier 51 de Michel Deville (France, 1978) est un cas unique (à notre connaissance) de récit entièrement filmé en focalisation interne *variable*, *par* plusieurs personnages. Le procédé de la caméra subjective y est donc constant, mais les foyers de vision sont variables : tout est vu par les divers agents de « renseignements » appartenant au service qui est à l'origine des recherches menées sur un certain Dominique Auphal. On entend les voix de ces agents (et notamment des trois « chefs »), on ne voit leurs visages que dans des miroirs ou sur des films pris par d'autres agents. Ainsi se trouve suggérée une sorte d'ubiquité fantastique (on songe aux « Mille yeux du Dr Mabuse » de Fritz Lang) et terrifiante (les yeux — prolongés par des appareils photographiques et des caméras — de ces agents pénètrent tout et partout). Par ailleurs, le spectateur voit ce que voient les espions et se trouve impliqué dans cet espionnage, dans cette excitation de la recherche, de l'enquête, jouissance voyeuriste qu'il se surprend à partager (les espions, ce ne sont pas les « autres » seulement…).

• par des procédés plus complexes (surimpressions, travellings « subjectifs », « images mentales », par exemple).

Alfred Hitchcock joue admirablement des variations de point de vue pour produire des effets dramatiques et susciter l'émotion des spectateurs. Voir **Photos 3 à 16** et **23.**

Nous avons vu (8.2.) comment, dans *Psychose*, la description de la maison, conduite du point de vue de Lila (en focalisation interne *sur* elle, mais avec des plans en focalisation *par* elle : on la voit regarder, découvrir, on voit ce qu'elle voit, le moulage des mains par ex.) crée le suspense. Dans la première partie du *Rideau Déchiré* (*The Torn Curtain*, U.S.A.), le spectateur voit Julie Andrews observer le comportement bizarre de Paul Newman : l'étonnement, le questionnement de la jeune femme suscitent et redoublent les nôtres (foc. *sur*, vision « avec »). Plus tard, Newman s'explique : plan éloigné du couple vu du point de vue de l'homme qui les surveille mais ne peut entendre les paroles prononcées ; raccord dans l'axe modifiant le point de vue (foc. externe), plan rapproché de Julie Andrews et mouvement tournant de la caméra autour de son visage reflétant le bonheur : seul le résultat des explications est donné, le spectateur est à la fois frustré (sur le plan de l'information) et pris par le contenu émotif de la scène. Voir les explications d'Hitchcock et les remarques de Truffaut dans *Le cinéma selon Hitchcock* (104). Deux autres exemples y sont analysés (avec détail des plans d'une séquence pour *Le faux coupable*).

L'alternance entre personnage voyant/ce que voit le personnage structure le Champ/Contre-champ. Elle est à la base des effets d'identification au cinéma. Ch. Metz écrit à ce propos :

« ... *bien que le champ-contre-champ sous sa forme stricte n'en soit pas le corrélat obligatoire, de telles images subjectives supposent, pour être correctement comprises, que des images objectives montrant le héros lui-même soient présentes dans le film, et point trop éloignées ; le spectateur, en effet, ne peut s'identifier provisoirement au point de vue du héros que s'il connaît ce héros (On pourrait dire qu'il faut connaître la* personne *pour pouvoir intérioriser son* regard). » Essais II, p. 45 (62).

Metz indique bien dans ce texte, après Albert Laffay, Jean Mitry et quelques autres, les limites de l'utilisation de la caméra dite « subjective » : l'assimilation perceptive (caméra à la place de l'œil du héros) n'induit pas nécessairement l'identification symbolique. C'est donc bien le va-et-vient de la focalisation *sur* à la focalisation *par* qui assure l'identification.

Dans ce même article Metz rend compte des différentes catégories d'images dites « subjectives » répertoriées par Jean Mitry dans son *Esthétique et Psychologie du cinéma* (70) :

— images (séquences) constituées de manière à inclure le personnage dans le champ (focalisation *sur*) tout en rendant compte, par des procédés divers (angles de prise de vue, mouvements d'appareil, utilisation du son), de sa subjectivité (de nombreuses séquences de *La Religieuse* de Jacques Rivette, France, sont ainsi construites) ;

— images mentales matérialisant ce que rêve, imagine, prévoit, etc. un personnage ; ces images montrent *ce qu'il ne voit pas* (ex. : les séquences de rêve dans *Freud, passions secrètes* John Huston, U.S.A., 1962) ;

— images proprement subjectives : on voit ce que voit le personnage (qui n'apparaît pas sur l'image) ;

— images de souvenir, présentées en flash-back (retour en arrière) avec *commentaire du personnage ;* notons que, en l'absence de commentaire, l'image d'un flash-back n'est pas forcément subjective : elle peut être mise au compte de l'instance narrative et non à celui du personnage (on voit apparaître ici la pertinence de la distinction entre *mode et voix*) ;

— la dernière catégorie est celle des images qui composent un *imaginaire* « subjectivé en bloc » : là encore la structure du film (présence d'un commentaire, par exemple, ou images du personnage amorçant un récit fabuleux) indiquera si cet imaginaire est à mettre au compte d'un personnage ou de l'instance narrative.

La musique joue parfois un rôle non négligeable dans la détermination du point de vue. Nous distinguerons, dans le film, la musique diégétique (les sources musicales sont diégétiques, c'est-à-dire qu'elles font partie intégrante de l'histoire racontée : radio, orchestre, instrument, etc.) de la musique extra-diégétique (la bande-son fait entendre une musique dont la source est en dehors de l'histoire racontée sur l'écran : *Alexandre Newski* de S.M. Eisenstein, URSS, 1938). Par définition la musique extra-diégétique ne saurait indiquer ce que « voit » (ici, évidemment, entend) un personnage puisqu'elle se situe hors de son histoire. Elle est, au contraire, un indice de présence de la « voix » narrative. En revanche la musique diégétique peut accompagner un personnage, enclencher une focalisation *sur* ou *par* lui : songeons au sifflottement de Peter Lorre dans *M* de Fritz Lang (Allemagne, 1931), à l'utilisation de la pièce pour piano codée dans *Agent X 27* de Sternberg (*Dishonored*, U.S.A., 1931). Dans ce dernier film la surimpression est utilisée dans certaines scènes, pour superposer à une image une autre image déjà vue et « expliquant » la pensée ou les sentiments d'un personnage (Ex. : Image de Victor Mac Laglen voyant un chat dans le couloir de la maison ; l'image, déjà vue, du personnage prenant le chat sur le lit de Marlène Diétrich, vient se superposer à la première : ce souvenir va déterminer sa conduite ultérieure).

Certains cinéastes trichent ou brouillent à plaisir les pistes ou font exploser les conventions du point de vue. Dans *Une belle fille comme moi* (France, 1972), François Truffaut donne à voir des images qui se confrontent à des commentaires (de Mme Bliss-Bernadette Lafont) et qui se contredisent. Ce choc des points de vue pourrait aboutir à l'impossibilité d'établir une vérité (c'est le cas dans les *Girls*, déjà cité, où aucune « voix » ne vient confirmer ou infirmer les trois versions de la même histoire qui nous sont montrées). Il n'en est rien : la vérité est du côté des images (un film d'amateur innocente Mme Bliss) opposées aux discours, mensongers ou imbéciles, des personnages.

En revanche, Luis Bunuel, dans *Le charme discret de la bourgeoisie*, met à nu les conventions narratives filmiques et notamment celles du point de vue. Deux sortes d'images-souvenirs ou images-rêves sont présentées :

A) celles qui sont présentées comme telles par un personnage, selon les procédures ci-dessus répertoriées ;

Le lieutenant garde le silence pendant quelques secondes, comme s'il rassemblait ses souvenirs. Zoom avant sur lui pour le cadrer en plan rapproché.

Lieutenant. Je me rappelle, j'avais onze ans... J'allais rentrer, pour la première fois, au collège militaire...

Gros plan du lieutenant.

Maison lieutenant - salon - intérieur jour

Nous sommes dans une grande demeure de province, une vingtaine d'années plus tôt. Plan américain d'une jeune femme en noir — la gouvernante — qui s'avance et s'arrête sur le seuil de la porte du salon.

Tailleur (off). Ça va ?... Ça ne te gêne pas aux emmanchures ? Boutonne le haut de ta vareuse... Voilà !...

Exemple 2 : p. 29.

Sergent. J'ai fait un rêve, la semaine dernière... Je me promenais, à la tombée du jour, dans une rue très commerçante...

Rue Sergent - extérieur fin de jour

Une rue assez sombre, en enfilade. Plan moyen du sergent — en civil — qui marche tranquillement vers nous.

B) celles qui sont reconnues comme telles a posteriori :

Exemple 3. Après l'invitation à dîner du colonel, une ellipse temporelle amorce directement la scène du dîner, lequel tourne étrangement jusqu'à ce que : p. 37.

Plan général de la salle houleuse : les gens se lèvent ; certains sifflent en hurlant. Retour sur Sénéchal en plan rapproché, transpirant de plus en plus.

Sénéchal (très mal à l'aise). Je ne connais pas le texte.

Plan général de la salle qui hurle, crie, siffle, conspue.

Living-room Sénéchal - intérieur soir

Plan rapproché (en légère plongée) de Sénéchal allongé et se réveillant brusquement. Zoom arrière pour le cadrer en plan américain. On entend off quelqu'un jouant du piano. Sénéchal est tout habillé, visiblement prêt à sortir. Il se lève et, un peu titubant, va (pano-travelling pour le cadrer en plan moyen) vers la cheminée ; sa femme est là, assise dans un fauteuil et remarque son trouble.

Mme Sénéchal. Qu'est-ce qui t'arrive ?

Sénéchal. Oh, rien ! Un rêve absurde. Nous allions dîner chez le colonel et nous nous retrouvions sur cette scène de théâtre.

Les Sénéchal vont alors au « vrai » dîner qui tourne mal, mais (p. 39) :

Plan général de la pièce. Le colonel se tourne. L'Ambassadeur tire trois coups de feu sur lui. Le colonel titube et s'écroule soutenu par l'évêque. Confusion générale.

Chambre à coucher Thévenot - intérieur jour

Plan rapproché de Thévenot couché dans son lit, en pyjama. Il se réveille en sursaut. Zoom arrière : dans le lit jumeau voisin, (séparé par une table de chevet surmontée d'une lampe allumée), sa femme couchée. (Plan américain des deux).

Mme Thévenot (calme). Qu'est-ce qui t'arrive ?

Thévenot (se redressant légèrement). Je rêvais que moi... Je rêvais d'abord que Sénéchal rêvait que nous allions dans un théâtre... Ensuite, que nous étions invités chez le colonel... et qu'il se disputait avec Raphaël...

Exemple 4, le brigadier sanglant, p. 44 : voir le texte de « L'Avant-Scène », p. 42 à 44, et le schéma ci-dessous.

Exemple 5, le rêve de l'Ambassadeur, p. 48.

Retour sur le 1ᵉʳ gangster qui soulève le bord de la nappe. Plongée sur l'Ambassadeur mangeant son morceau de gigot. Coups de feu.

Chambre ambassadeur - intérieur nuit

Plan moyen de l'Ambassadeur, couché, en pyjama, qui se

réveille en sursaut. Sa lampe de chevet est allumée. Il se dresse sur le lit, affolé... comme pour se défendre. Ses mâchoires remuent comme s'il mâchait encore quelque chose. Panoramique vers la porte de la pièce qui s'ouvre sur un domestique en robe de chambre.

Schématisons ces 5 exemples :

Exemples 1 et 2

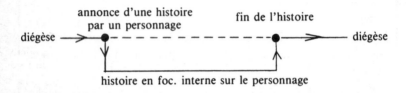

Les séquences « racontées » s'opposent au « réel » diégétique. Elles sont d'ailleurs marquées par un traitement du décor et de l'éclairage différencié.

Exemple 3

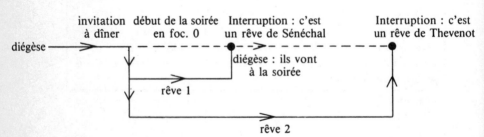

Les séquences du dîner chez le colonel sont entièrement rêvées, le premier rêve est lui-même rêvé. L'ensemble est pourtant filmé sans procédés de différenciation.

Exemple 4

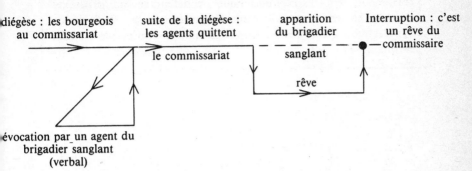

Ici, il y a incertitude : où commence le rêve du commissaire ? Les indications temporelles montrent qu'il doit commencer, *avant* l'apparition théâtrale du brigadier, dès le début de l'évocation par l'agent (le commissaire se réveille dans le commissariat *de jour*, alors que les séquences en question se déroulent la *nuit*).

Exemple 5

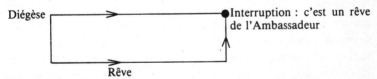

Bien que le schéma en soit plus simple, c'est la séquence la plus « retorse » dans la mesure où la partie diégétique rêvée est très longue et « ressemble » aux parties diégétiques « réelles » (en particulier à la 1re séquence qui se passe aussi chez les Sénéchal, au moment du dîner). C'est donc tout le film qui a peut-être été rêvé par l'Ambassadeur ? En fait « l'onirisme » et le « réalisme » des séquences se valent : ils sont des conventions, comme la logique des points de vue dans le film. On ne sait donc plus qui voit. Mais la dernière séquence, reprise et continuation de trois autres séquences réparties dans le film et sans lien diégétique clair avec ce qui les précède et les suit, sortes d'encarts, nous montre les bourgeois marchant sur une route de campagne : la « voix » narrative manifeste là son existence, c'est bien elle qui a réparti ces six personnages en quête de diégèse dans des séquences finalement in-signifiantes.

Pour d'autres exemples concernant la focalisation, les écarts de focalisation et les paroles focalisantes, voir l'article *Focalisation* de Daniel Percheron, in (55), (sur *Rosemary's Baby*, R. Polanski, USA, 1968 ; *Toutes ses femmes*, I. Bergman, Suède, 1964 ; *Jules et Jim*, F. Truffaut, France, 1961 ; *La Collectionneuse*, Eric Rohmer, France, 1966).

10.2. *Qui parle ?*

Il s'agit ici de considérer l'instance narrative telle qu'elle se manifeste (ou se devine) dans le texte du récit.

On ne confondra pas cette instance avec l'auteur de roman ou le metteur en scène du film. Comme l'écrit G. Genette (42, p. 226), « la situation narrative d'un récit de fiction ne se ramène *jamais* à sa situation d'écriture » (on pourrait prendre le terme d'*écriture* au sens large : écriture du roman et du film). Les cas particuliers de mise en abyme de l'écriture (représentation dans le récit de l'acte d'écrire ou de filmer le récit : la fiction se constitue de l'aventure de la narration, voir *Paludes* d'André Gide, *8 1/2* de Fellini) ne changent à notre avis rien à l'affaire : l'écrivain ou le cinéaste représenté ne se confond pas avec la personne réelle de l'auteur, ce qui est raconté de l'acte d'écrire ou de filmer ne recouvre pas ce qui se passe en réalité. Le récit écrit et/ou filmique implique une représentation (donc un choix d'éléments organisés, « mis en scène ») et une communication différée, l'élaboration d'un *discours clos* (même si les séquences d'événements ne sont pas, elles, closes : à ce sujet, voir Christian Metz) (68). Cette clôture matérielle du texte (un roman, un film ont toujours une fin, même « ouverte ») permet de relever les traces de l'instance narrative. G. Genette les relève dans le **temps de la narration.**

Où se situe temporellement la narration par rapport aux événements narrés ? Quatre cas :

— la narration est ultérieure à ce qui est raconté, cas le plus général,

— la narration est antérieure (prophéties, prévisions, anticipations, etc.),

— la narration est contemporaine (récit en monologue inté-rieur).

— on trouve, comme toujours, des types mixtes : récit en forme de journal intime, par exemple, ou roman par lettres, que Genette propose de nommer narration intercalée (le récit se fait entre les moments de l'action : voir *Le Horla* de Maupassant).

Le récit écrit sème des repères linguistiques permettant de reconstituer les relations entre le temps de la fiction et celui de la narration : dates, mentions de jours, d'heures, de moments de la journée, emploi des temps verbaux les uns par rapport aux autres. Ces indications sont plus ou moins précises : l'emploi du passé indique une narration ultérieure, mais le plus souvent sans plus de précision ; le passé composé dénote un passé plus « pro-che » que le passé simple ; le présent est signe de simultanéité mais n'indique pas si le narrateur est témoin ou acteur et, par ailleurs, cette simultanéité peut se produire seulement à la fin — ou dans le cours — du récit : les séries temporelles de la fiction et de la narration se rejoignent alors (voir, dans *L'emploi du temps*, de Michel Butor, l'analyse du roman policier à énigme et la structure temporelle du texte). Il est intéressant de souligner que les narrations ultérieures apportent généralement peu (voire pas du tout) de détails sur leur temporalité propre : la « parole » semble laissée aux événements, l'énonciation narrative s'efface, hors du temps, non soumise à lui, immatérielle...

La narration antérieure s'énonce généralement au futur (pro-phétie) ou au présent (vision).

La question « qui parle ? », s'agissant d'un récit filmique, n'est peut-être pas pertinente. Ou du moins faudrait-il la clarifier. Au cinéma, en effet, « ça parle », éventuellement, et « ça montre », de toute façon. La question du temps de la narration par rapport au temps de la fiction se pose donc différemment selon que

— le récit n'est pris en charge que par les images filmiques,

— le récit est pris en charge par une (ou plusieurs) voix et les images filmiques.

Dans ce dernier cas la voix peut être celle d'un des personna-ges ou une voix « extra-diégétique », celle d'un narrateur anonyme. Les inter-titres du cinéma muet ou de certains films modernes peuvent s'assimiler à une voix-off extra-diégétique.

Exemple 1. Une Partie de Campagne, film « inachevé » mais non « incomplet » comprend deux intertitres, l'un au début du film, l'autre avant la dernière scène :

« *Des années ont passé avec des dimanches tristes comme des lundis. Anatole a épousé Henriette et un certain dimanche que voici...* »

« Avant-Scène » n° 21, p. 41.

Ces textes manifestent la présence d'une instance narrative. Le second, en particulier, indique le moment du passage de l'écriture à l'image (*voici*) : un « grand imagier » se substitue au narrateur du texte écrit. Les films muets réalisent le plus souvent cette alternance entre récit narré par l'écrit et récit narré par l'image filmique silencieuse (— mais beaucoup d'intertitres indiquent le contenu des dialogues et ne sont donc pas à mettre au compte du narrateur).

Exemple 2. Dans *Jules et Jim*, l'écran est d'abord noir puis on entend la voix off de Jeanne Moreau : « *Tu m'as dit : je t'aime. Je t'ai dit : Attends. J'allais dire : Prends-moi. Tu m'as dit : Va t'en* », avant le générique. On ne sait qui est je, qui est tu. Après vision du film, ces paroles paraissent « programmer » les relations de Catherine (J. Moreau) et Jim (H. Serres) ; cette voix vient peut-être d'outre-tombe. Après le générique, le récit est pris en charge par une voix off anonyme, que les images complètent ou relaient (voir 9.1.).

Exemple 3. Dans *La Comtesse aux pieds nus* (*The barefoot Comtessa*, Mankiewicz, U.S.A.) l'histoire de Maria Vargas (Ava Gardner) est prise en charge par trois voix narratives au cours du film :

1. Harry Dawes (H. Bogart) est le narrateur principal, et son récit débute au cours de l'enterrement de la « star » (la fin du récit et du film coïncideront avec la fin des obsèques : plusieurs années seront donc contées le temps d'un enterrement, lequel prendra — opportunément — le temps d'un film...) ;

2. Oscar (E. O'Brien), le « public-relation », le relaie pour narrer un moment de la vie de Maria dont Harry Dawes n'a pu être

témoin (souci de vraisemblance dans le maniement du point de vue : mais les deux hommes présents à l'enterrement, ne se concertent pas et c'est en dehors de toute vraisemblance que leurs mémoires intérieures se complètent pour l'information du spectateur) ;

3. Le Comte (R. Brazzi) complète à son tour le récit d'Oscar, avant d'être relayé par H. Dawes (voir « L'Avant-Scène », n° 68, mars 1967).

L'une des scènes du film est deux fois racontée/montrée, selon les points de vue d'Oscar et du Comte. Les paroles prononcées par les protagonistes, ainsi que les gestes, mimiques, jeux de scène sont identiques, mais le découpage et les prises de vue sont différents et les voix « off » des deux narrateurs commentent la scène chacune à sa manière.

Une analyse plus fine permet de constater que la mise en scène opère une focalisation *sur* le personnage qui parle (off) dans l'image, alors qu'elle réalise une focalisation *par* lui dans le son. Il n'y a pas superposition, convergence des deux foyers (l'image et le son). Cette non-convergence souligne le décalage temporel entre la narration parlée et l'image : l'image est toujours au présent, le récit est pourtant au passé.

Cette scène deux fois racontée/montrée est une clé du film :

— elle souligne la convergence des regards et des désirs vers Maria (la focalisation du film sur elle : images et voix des trois narrateurs) ;

— elle cerne Maria sans réussir à la pénétrer (Maria ne parle pas, ne livre pas ses secrets : l'impuissance, diégétique, de son mari renvoie à l'impuissance du narrateur-metteur en scène à la comprendre, en dépit des variations de point de vue et d'angles de prises de vue) ;

— elle met en évidence la relativité des points de vue, la mise en scène même, l'incomplétude fondamentale du perçu (le réel), l'artifice du raconté (le script).

Dans ces trois exemples, les intertitres et les voix off sont la marque d'une narration ultérieure.

En l'absence de ces éléments, l'image est au « présent » et la narration est contemporaine de la fiction. A moins qu'en un point du récit filmique ne s'enclenche un « flash-back » (retour en arrière) ou un « flash-forward » (bond en avant : anticipation, prévision, etc.), ces deux types de scène pouvant être pris en charge par un narrateur diégétique ou extra-diégétique.

Dans le cas de *La Comtesse aux pieds nus*, la fiction de l'enterrement de Maria est contemporaine de sa narration (faite par H. Dawes ; ici, il faudrait nuancer : Dawes-Bogart parle sur l'image et ses paroles contiennent quelques informations sur la situation qu'il est en train de vivre, mais c'est l'image — qu'on ne peut mettre à son compte — qui montre l'enterrement), mais la carrière de Maria est antérieure à la narration qui en est faite.

Pour marquer le passage du présent au passé le film dispose de procédés divers :

— coupe franche, sans transition particulière ; en montage sec, l'image du passé succède à l'image du présent : dans ce cas c'est le dialogue, le décor, les costumes, l'apparence physique des personnages qui permettront au spectateur de se repérer dans le temps, plus ou moins bien selon l'habileté ou les intentions du metteur en scène. Notons que le flash-back peut être long — jusqu'à constituer la majeure partie du film, au point même que, lorsque l'on revient au « présent », on avait oublié qu'on était au passé — ou très court (véritable « flash ») ;

— fondu enchaîné, enclenché par une réplique, avec éventuellement insistance sur le personnage évoquant le passé (travelling avant, gros plan, etc.) dont l'image va s'estomper, « recouverte » par l'image du passé ;

— flou entre image du présent et image du passé ;

— effet de ralenti ou d'arrêts sur image et reprise de la vitesse normale ;

— changements d'éclairages, de tonalités de couleurs, passage de la couleur au noir et blanc ou inversement ;

— utilisation de la voix-off.

Bien entendu ces procédés peuvent se combiner (fondu enchaîné accompagné d'un commentaire off, par exemple ; coupe franche avec changement de couleurs ; etc.).

Christian Metz a montré que certains de ces procédés n'étaient pas seulement ponctuatifs : ils s'insèrent dans la diégèse en tant que signes de l'effort des personnages, de leur confusion, etc. au moment où le passé vient envahir le présent.

L'actualisation du passé est évidemment plus vive dans le film que dans le récit écrit. Par ailleurs, l'image étant au « présent », l'irruption du passé est plus frappante. En d'autres termes l'écriture produit à notre avis, presque automatiquement, un effet d'antériorité de la fiction sur la narration, alors que le film produit un effet de contemporanéité.

C'est peut-être ce qui explique la prédilection des cinéastes (et des spectateurs ?) pour les flash-back « à révélation » : nous désignons par ce terme les flash-back ayant pour fonction d'apporter sur un personnage ou l'ensemble de la diégèse des informations capitales par réactualisation ou découverte du passé (films à énigmes, films « psychanalytiques »). Exemples : *Marnie* (Hitchcock, U.S.A.), *Soudain l'été dernier* (Manckiéwicz, U.S.A.), *Il était une fois dans l'Ouest* (Leone, Italie), etc. Marc Vernet* fait remarquer que « le flash-back est toujours doté d'une valeur de vérité certaine ». Cependant il faudrait distinguer à ce propos le flash-back énoncé du point de vue d'un personnage du flash-back produit sur l'intervention de l'instance narrative. Dans le premier cas il peut y avoir ambiguïté ou incertitude quant à la « vérité » de ce qui est dit (voir les films construits sur plusieurs flash-back contradictoires : *Rashomon* (Kurosawa, Japon), *Les Girls* (Cukor, U.S.A.), etc.) ; néanmoins, dans le cas du flash-back « à une voix » la vérité des images est généralement plus forte que celle des mots (voir, plus haut, *Une belle fille comme moi*). Dans le second cas, on ne met pas en doute la parole du narrateur - grand imagier : le flash-back acquiert un caractère d'authenticité absolue et, par là, de complément indispensable aux images du « présent »**.

Les procédés répertoriés ci-dessus sont également utilisés pour introduire le « flash-forward », les images mentales ou les rêves. C'est dire qu'ils ne sont pas en eux-mêmes des marqueurs précis de la temporalité. En fait ce que nous avons dit pour la coupe franche est vrai pour tous les autres procédés : c'est leur rapport au dialogue, au décor, aux acteurs qui permet de préciser la temporalité. Certains cinéastes jouent d'ailleurs de la plurivalence de ces « signes » pour déconcerter voire égarer le spectateur : cf. l'analyse plus haut, du *Charme discret de la bourgeoisie* ; citons aussi *Providence* (A. Resnais, G.B.). En ce qui concerne A. Res-

* Article « Flash-back » in (55), p. 96 à 99.
** Sur cette notion d'image au présent, voir, plus bas, 11.1., l'analyse du début de *Jules et Jim* de F. Truffaut.

nais, M.C. Ropars (95) a bien montré comment, dans *Hiroshima mon amour,* les images du passé (Nevers) sont en fait des images au présent : le souvenir est revécu de l'intérieur et se mêle aux séquences au présent.

11. TEMPORALITÉ

Tout récit implique une organisation des événements narrés (montrés) dans le temps. — Une chronologie — Nous proposons de distinguer :
— le temps de la fiction ou temps diégétique (datations, durée) ;
— l'organisation du temps de la fiction par le récit (récit linéaire, ellipses temporelles, ruptures de la chronologie, etc.) ;
— le temps de la narration (temps mis pour raconter l'histoire, datation de la narration) ;
— les temps de référence ou temporalité sociale « réelle » (temps de référence, temps historique de la fiction et de la narration).

L'articulation de ces différents aspects de la temporalité du récit pose des problèmes techniques (à l'écriture et à la lecture) et idéologiques.

11.1. *Le temps de la fiction :* repères, organisation

Une histoire se situe et se déroule temporellement. Par quels moyens l'écriture et le film nous permettent-ils de repérer la situation et la durée d'une histoire ? Comment nous indiquent-ils la place des événements les uns par rapport aux autres (consécution, antériorité, simultanéité, etc.).

Le récit écrit donne des informations linguistiques concernant le temps diégétique. Ce sont :
— les indications temporelles proprement dites : mentions de dates, d'heures, de moments de l'année ou de la journée ; signalisations plus ou moins précises (*trois mois plus tard, peu après,* etc.) données par des syntagmes nominaux, des adverbes, des prépositions ;

— l'organisation des temps verbaux. Harald Weinrich fait remarquer (110) que la fréquence des formes temporelles des verbes est beaucoup plus élevée, dans un texte écrit, que les indications de dates, heures, etc. mentionnées ci-dessus : « dans un texte imprimé, il y a environ autant de formes temporelles que de lignes ». Nous y reviendrons.

A un premier niveau, « macro-temporel », les repères permettent de situer historiquement la diégèse. On distinguerait :

• **les récits non datés.** Ils se caractérisent par l'« a-temporalité » ou « l'hors-temporalité ». Ils se déroulent à une époque indéterminée (aucun point de repère, aucune datation ou une datation dont on souligne bien qu'elle n'a pas d'importance ou qu'on ne la connaît pas) et indéterminable (les détails du récit ne permettent pas de dater la diégèse). A l'intérieur de cette catégorie, on distinguerait :

— les récits situés d'emblée dans l'hors temporalité : contes de fées, récits mythiques et merveilleux, légendes ;

— les récits d'apparence plus ou moins réalistes dans lesquels on s'applique à empêcher toute mise en situation historique précise.

Dans un récit écrit, il est relativement facile de gommer les points de repère et d'installer le lecteur dans une temporalité vague.

L'auteur peut le faire d'emblée, pour désorienter : « il était une fois... » « en ce temps-là... » ; par provocation : « Je m'appelle Ishmaël. Mettons. Il y a quelques années, sans préciser davantage, ... » (H. Melville, *Moby Dick*) ; « L'horreur et la fatalité se sont donné carrière à travers tous les siècles. A quoi bon alors mettre une date à l'histoire que j'ai à raconter ? » (E. Poe, *Metzengerstein*)...

...ou bien se contenter de ne pas livrer au lecteur les informations permettant de dater les événements, ce qui suppose un travail d'effacement, de généralisation, d'imprécision volontaire : voir, par exemple, *Le désert des Tartares*, de Dino Buzzati.

Au cinéma l'image montre des lieux, des objets, des bâtiments, des hommes et des femmes avec leurs vêtements, leurs coupes de cheveux, leurs langages, etc., autant de points de repères pour une datation éventuelle de la fiction. Dans le domaine du merveilleux, il est assez facile de bâtir des décors et de concevoir des costumes qui placeront le spectateur dans un univers hors du temps historique. Mais dans les récits d'un autre type, il est impossible de ne pas montrer ce que l'écriture peut ne pas nommer. Les cinéastes ont donc recours à divers procédés qui tendent

— à synthétiser certains éléments ;
— à mêler les informations de façon à brouiller les pistes.

Ainsi, dans la transposition cinématographique du *Désert des Tartares*, les uniformes des officiers et des hommes apparaissent comme une sorte de synthèse de divers uniformes de pays et d'époques différents, les bâtiments (la ville, la forteresse) appartiennent à des époques et à des lieux géographiques différents, etc. Cependant on peut situer en gros la fiction filmique : absence de véhicules motorisés, armes, jumelles, intérieurs, vêtements des femmes... Les détails nécessaires à « l'effet de réel » (voir 8.3.2.) constituent une contrainte qui va à l'encontre de l'hors-temporalité ;

• **les récits datés.** Contentons-nous ici de souligner l'intérêt d'un relevé des marques de la datation, marques explicites (dates écrites, y compris dans un film grâce à l'utilisation des « cartons » et des intertitres) ou implicites (références à des événements historiques, détails matériels : costumes, objets, etc.). Il semble que l'explicitation intervienne surtout lorsque l'histoire se situe, par rapport à l'époque de son écriture, dans le passé ou dans l'avenir (récits d'anticipations). La contemporanéité est le plus souvent implicite : le lecteur ou le spectateur est censé reconnaître « son » présent.

Cependant l'effet de contemporanéité ne saurait durer que quelques années ; d'où un travail de décryptage nécessaire pour le lecteur « décalé ». Plutôt que de se référer aux notices des manuels ou des histoires de la littérature ou du cinéma, on suggérera de mener les recherches de datation de la fiction en confrontation directe avec les textes. Un exemple : à propos du *Cabinet du Docteur Caligari*, Georges Sadoul (101, p. 36) écrivait : « Dans une fête foraine, vers 1830,... » Or une vision du film assortie d'une question sur la datation de la fiction apporterait sans nul doute des surprises : comment dater l'architecture de la ville, certains objets (chaises et bureaux par exemple), certains costumes, etc. ? On serait sans doute conduit à se demander si *Caligari* est un film historiquement situé ou hors temporalité.

Par ailleurs la datation affichée est à mettre en relation avec d'autres éléments du récit. *Psychose* débute par une série de plans d'ensemble des toits d'une ville, accompagnée de titres : « Phoenix, Arizona-vendredi 11 décembre — 14 h 43 — ». L'année n'est pas mentionnée : effet de contemporanéité.

S'agissant d'un film d'Afred Hitchcock, auteur de « thrillers », on peut supposer que la précision des informations va jouer un rôle important dans l'histoire (dévoilement éventuel d'une énigme). Or il n'en est rien. Les plans suivants nous montrent un couple dans une chambre d'hôtel : l'homme et la femme y ont passé la « pause déjeuner » (« lunch hours ») et se rhabillent en dialoguant. C'est en fin de compte la juxtaposition de l'information 14 h 43 et de ces plans qui est signifiante : les deux amants se rencontrent en secret dans des conditions précaires.

« ... *il était trois heures moins dix-sept minutes de l'après-midi, et c'est le seul moment pendant lequel cette pauvre fille, Marion, peut coucher avec Sam, son amant. L'indication de l'heure suggère qu'elle se prive de déjeuner pour faire l'amour* » (A. Hitchcock, in 104, p. 206). Un plan du déjeuner intact, posé sur la table de la chambre, transforme la suggestion en information, et le dialogue explicite la situation. Dans cet exemple, on voit assez bien comment le film fait progresser l'information du spectateur par addition et totalisation successives, les « restes » (si l'on peut parler des restes d'une addition...) produisant des effets immédiats qui peuvent n'avoir pas de suite (cependant il n'est pas indifférent que l'on soit à Phoenix — petite ville où l'anonymat est impossible — en décembre — le temps se gâte volontiers, les motels sont vides...) :

plan de ville + titre (Phoenix, Arizona) + date + heure →
lieu d'ensemble
plan d'une fenêtre →
lieu particulier

plan int. d'une chambre (femme en soutien-gorge sur lit, homme debout torse nu) →
    lieu + personnage : l'amour l'après-midi

plan du déjeuner intact et voix off de Sam : « You never did eat your lunch, did you ? »

    elle se prive de déjeuner

Il s'agit d'un montage additionnel : chaque plan totalise les informations des plans précédents et apporte de nouvelles informations. On voit ici que l'information sur le temps concerne l'histoire, l'anecdote, l'état psychologique des personnages et non l'Histoire, le contexte historique « large ». Tout se déroule « au présent ».

A l'opposé le début des *Camisards* de René Allio nous donne des informations écrites (un déroulant défile) sur le comportement des protestants insurgés des Cévennes, entre 1683 et 1702. Situé d'emblée dans l'Histoire, le film ne cessera de livrer des informations sur le contexte socio-historique des événements : alternance entre séquences des insurgés, des nobles, des officiers et envoyés du Roi, voix de Jacques Combassous, etc. *. L'image et le dialogue se combinent de façon à resituer les événements et les paroles les uns par rapport aux autres et dans l'Histoire (points de vue des insurgés, des nobles provinciaux, du Roi par l'entremise du subdélégué). Les ancrages temporels procèdent donc ici d'une volonté de souligner le sens historique des événements en élargissant leur portée (ex. : le soulèvement des Camisards « intéresse » l'Angleterre et la Hollande, l'aristocratie locale et la Cour n'ont pas toujours les mêmes réactions ni les mêmes intérêts, etc.).

Au niveau « micro-temporel », le temps de la fiction s'organise, que celle-ci soit datée ou non. H. Weinrich fait en effet remarquer que les temps verbaux du monde raconté à l'écrit sont toujours le passé, l'imparfait qu'on ait affaire à un récit non daté, merveilleux, d'anticipation ou autre. L'organisation micro-temporelle serait donc indépendante de la datation de la fiction et subordonnée à d'autres aspects du récit. En ce qui concerne le récit écrit, Weinrich distingue trois dimensions du récit déterminant des principes de groupements des temps verbaux :

* « L'Avant-Scène » n° 122, février 1972.

1. *L'attitude de locution.* Deux types d'attitude, schématiquement :

— Le « commentaire », dans lequel le locuteur est concerné, par lequel il exprime son rapport à l'énoncé, au contenu de ce qu'il dit et à l'interlocuteur. « Sont représentatifs du monde commenté : dialogue dramatique, mémorandum politique, éditorial, testament, rapport scientifique, essai philosophique, commentaire juridique et toutes les formes du discours rituel, codifié et performatif » (110, p. 33).

— Le récit, dans lequel une distance est posée entre le locuteur et ce qu'il raconte, ce qu'il « rapporte ».

Cette distinction est proche de celle d'E. Benveniste entre « discours » et « histoire » (17). Cependant Weinrich opère une distribution des temps verbaux entre monde commenté et monde raconté beaucoup plus rigide que celle de Benveniste. Au monde commenté, appartiennent le présent, le passé composé, le futur ; au monde raconté, le passé simple, l'imparfait, le plus-que-parfait, le conditionnel, le passé antérieur. Par ailleurs certains adverbes indiquant la position du locuteur par rapport à la situation d'énonciation se combinent préférentiellement avec des temps commentatifs ou narratifs :

hier			*la veille*	
demain	} commentatifs		*le lendemain*	} narratifs
ici			*là*	

Cette indication est statistique, bien entendu.

Dans un texte narratif, on peut passer très vite du monde raconté (narration proprement dite) au monde commenté (dialogues, intrusions d'auteur, etc.).

2. *La perspective de locution*

Le locuteur écrit en un temps T° par rapport auquel les informations qu'il donne sont antérieures, postérieures ou non marquées. Dans le monde commenté comme dans le monde raconté les temps verbaux se distribuent selon la perspective de locution :

	monde commenté	**monde raconté**
point zéro : rapport non marqué	présent	imparfait, passé simple
rétrospection : information rapportée	passé composé	plus que parfait, passé antérieur
prospection, anticipation : information anticipée	futur	conditionnel

3. *La mise en relief*

La distribution des temps verbaux correspond à des effets (intentionnels ou non) de mise en relief. A l'intérieur du monde raconté, Weinrich propose de distinguer le premier plan (événements et circonstances essentiels) de l'arrière-plan (événements et circonstances secondaires ou marginaux). D'une façon générale, le récit se structurerait ainsi :

Une introduction et une conclusion, où les temps sont le plus souvent de l'arrière-plan (imparfait, plus-que-parfait), le corps du récit où temps de l'arrière-plan et temps du premier plan (passé simple) se combinent et s'enchaînent suivant les aspects de la mise en relief : tempo (accumulation des temps du premier plan *versus* temps de l'arrière-plan → récit rapide ou condensé *versus* récit lent ou « dilaté » ; effet de « mise à plat », de superficialité *versus* effet de mise en perspective, accent sur la description sociologique).

Weinrich suggère des exercices qui éclairent assez bien ces divers aspects de la distribution des temps verbaux à l'écrit.

a. Résumer un récit (roman ou nouvelle) ou étudier, dans un manuel, des résumés de récit. On constate que, la plupart du temps, les temps verbaux des résumés sont ceux du monde commenté (présent, passé composé, futur). Le résumé est donc, en fait, un commentaire de récit et non un véritable récit.

b. Toujours à partir d'un résumé, étudier ce que le résumé a conservé par rapport aux notions de premier plan et d'arrière-plan. Selon Weinrich le résumé laisse spontanément l'arrière-plan (c'est-à-dire les événements et circonstances énoncés par les temps de l'imparfait et du plus-que-parfait) de côté.

c. Choisir une nouvelle. Fractionner le texte en deux « récits » : dans le premier, toutes les phrases au passé simple, dans le second toutes les phrases à l'imparfait et au plus-que-parfait. Les dialogues sont versés en l'un ou l'autre récit selon le temps qui les introduit (dit-il *vs* disait-il, par exemple). Lequel des deux textes forme une histoire ? Commenter les résultats.

Weinrich étudie par ailleurs les transitions d'un temps à un autre. Il distingue les transitions *homogènes* (passé simple → passé simple, imparfait → imparfait) des transitions *hétérogènes* (passé simple → imparfait, imparfait → passé simple). Dans un récit écrit, les transitions homogènes sont plus nombreuses, elles assurent la cohésion du texte mais diminuent l'expressivité et les effets de surprise ; les transitions hétérogènes sont moins nombreuses, plus expressives et modifient certaines dimensions du récit (par exemple la transition de l'imparfait au passé simple fait passer de l'arrière-plan au premier plan, la transition du passé antérieur à l'imparfait fait passer du premier plan à l'arrière-plan et de la rétrospection au point zéro de perspective de locution).

Il faut insister sur deux points :

— Ces principes de distribution des temps verbaux ne sont pas absolus ; il existe de nombreuses exceptions.

— Ces exceptions et la grande souplesse d'utilisation des temps indiquent que le récit écrit a de très riches possibilités de « passages » de monde raconté à monde commenté, de rétrospection à anticipation, d'arrière-plan à premier plan.

Exemple. *Rosalie Prudent* de Guy de Maupassant.

Nous analysons deux extraits de la nouvelle de Maupassant en référence à la méthode de Weinrich.

Extrait 1

Il y avait vraiment dans cette affaire un mystère que ni les jurés, ni le président, ni le procureur de la République lui-même ne parvenaient à comprendre.

La fille Prudent (Rosalie), bonne chez les époux Varambot, de Mantes, devenue grosse à l'insu de ses maîtres, avait accouché, pendant la nuit, dans sa mansarde, puis tué et enterré son enfant dans le jardin.

C'était là l'histoire courante de tous les infanticides accomplis par les servantes. Mais un fait demeurait inexplicable. La

perquisition opérée dans la chambre de la fille Prudent avait amené la découverte d'un trousseau complet d'enfant, fait par Rosalie elle-même, qui avait passé ses nuits à le couper et à le coudre pendant trois mois. L'épicier chez qui elle avait acheté de la chandelle, payée sur ses gages, pour ce long travail était venu témoigner. De plus, il demeurait acquis que la sage-femme du pays, prévenue par elle de son état, lui avait donné tous les renseignements et tous les conseils pratiques pour le cas où l'accident arriverait dans un moment où les secours demeureraient impossibles. Elle avait cherché en outre une place à Poissy pour la fille Prudent qui prévoyait son renvoi, car les époux Varambot ne plaisantaient pas sur la morale.

Ils étaient là, assistant aux assises, l'homme et la femme, petits rentiers de province, exaspérés contre cette traînée qui avait souillé leur maison. Ils auraient voulu la voir guillotiner tout de suite, sans jugement, et ils l'accablaient de dépositions haineuses devenues dans leur bouche des accusations.

La coupable, une belle grande fille de Basse-Normandie, assez instruite pour son état, pleurait sans cesse et ne répondait rien.

On en était réduit à croire qu'elle avait accompli cet acte barbare dans un moment de désespoir et de folie, puisque tout indiquait qu'elle avait espéré garder et élever son fils.

Le président essaya encore une fois de la faire parler, d'obtenir des aveux, et l'ayant sollicitée avec une grande douceur, il lui fit enfin comprendre que tous ces hommes réunis pour la juger ne voulaient point sa mort et pouvaient même la plaindre.

Alors elle se décida.

Il demandait : « Voyons, dites-nous d'abord quel est le père de cet enfant ? »

Jusque-là elle l'avait caché obstinément.

Elle répondit soudain, en regardant ses maîtres qui venaient de la calomnier avec rage :

« C'est M. Joseph, le neveu à M. Varambot. »

in La Petite Roque. Livre de poche, p. 113-114.

Tableau A

Temps verbaux	Transitions	Raconté/Commenté	1er plan/arrière plan

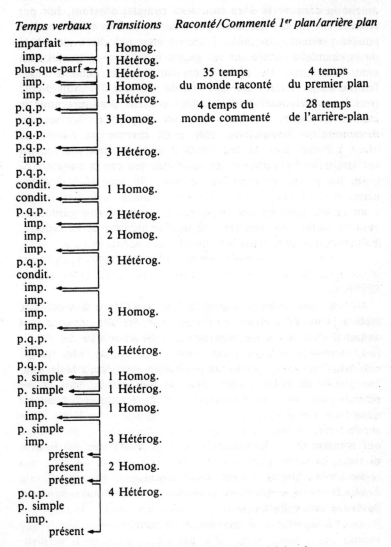

imparfait	1 Homog.		
imp.	1 Hétérog.		
plus-que-parf	1 Hétérog.	35 temps	4 temps
imp.	1 Homog.	du monde raconté	du premier plan
imp.	1 Hétérog.		
p.q.p.		4 temps du	28 temps
p.q.p.	3 Homog.	monde commenté	de l'arrière-plan
p.q.p.			
p.q.p.	3 Hétérog.		
imp.			
p.q.p.			
condit.	1 Homog.		
condit.			
p.q.p.	2 Hétérog.		
imp.			
imp.	2 Homog.		
imp.			
p.q.p.	3 Hétérog.		
condit.			
imp.			
imp.			
imp.	3 Homog.		
imp.			
p.q.p.			
imp.	4 Hétérog.		
p.q.p.			
p. simple	1 Homog.		
p. simple	1 Hétérog.		
imp.	1 Homog.		
imp.			
p. simple			
imp.	3 Hétérog.		
présent			
présent	2 Homog.		
présent			
p.q.p.	4 Hétérog.		
p. simple			
imp.			
présent			

Soit : 15 transitions homogènes et 23 transitions hétérogènes

Commentaire. Les temps de l'arrière-plan dominent : il s'agit de l'exposition de la situation, de l'introduction d'un récit qui « démarre » en fait au premier passé simple (*essaya*), démarrage plus loin souligné par *Alors...* Les 4 temps du monde commenté correspondent au dialogue et, plus précisément, au passage en style direct. Notons qu'un résumé de l'histoire qui négligerait l'introduction rendrait les faits incompréhensibles : l'arrière-plan est ici essentiel. Mais les faits sont bien temporellement mis en perspective comme l'indique, au début du texte, la transition hétérogène de l'imparfait au plus-que-parfait (passage d'un point 0 à la rétrospection). Le récit place donc au premier plan ce qui se passe devant ce tribunal, de façon brusque et expressive (transition du p.q.p. au passé simple après 26 temps de l'arrière-plan).

En ce qui concerne les variations de perspectives de locution, on peut noter : la transition hétérogène du p.q.p. au condit., qui fait passer de la rétrospection à l'anticipation.

Extrait 2

— **Il est sous-officier d'artilleurs, m'sieu. Donc il resta deux mois à la maison. Deux mois d'été. Moi, je ne pensais à rien quand il s'est mis à me regarder, et puis à me dire des flatteries, et puis à me cajoler tant que le jour durait. Moi, je me suis laissé prendre, m'sieu. Il m'répétait que j'étais belle fille, que j'étais plaisante... que j'étais de son goût... Moi, il me plaisait pour sûr... Que voulez-vous ? on écoute ces choses-là, quand on est seule... toute seule... comme moi. J'suis seule sur la terre, m'sieu... j'n'ai personne à qui parler... personne à qui compter mes ennuyances... Je n'ai pu d'père, pu d'mère, ni frère, ni sœur, personne. Ça m'a fait comme un frère qui serait r'venu quand il s'est mis à me causer. Et puis, il m'a demandé de descendre au bord de la rivière un soir, pour bavarder sans faire de bruit. J'y suis v'nue, moi... Je sais-t-il ? je sais-t-il après ?... Il me tenait la taille... Pour sûr, je ne voulais pas... non... non... J'ai pas pu... j'avais envie de pleurer tant que l'air était douce... il faisait clair de lune... J'ai pas pu... Non... je vous jure... j'ai pas pu... il a fait ce qu'il a voulu. Ça a duré encore trois semaines, tant qu'il est resté... Je l'aurais suivi au bout du monde... il est parti... Je ne savais**

Tableau B

Temps verbaux	Transitions	Raconté/Commenté	1er plan/arrière-plan
présent			
passé simple	6 Hétérog.		
imparfait			
p. composé			
imp.			
p. comp.			
imp.			
imp.	4 Homog.		
imp.			
imp.	1 Hétérog.	17 temps	1 temps du 1er plan
prés.		du monde raconté	14 temps de
prés.	4 Homog.	24 temps du	l'arrière-plan
prés.		monde commenté	
prés.			
prés.			
p. comp.			
condit.	3 Hétérog.		
p. comp.			
p. comp.	2 Homog.		
p. comp.	1 Hétérog.		
prés.	1 Homog.		
présent	1 Hétérog.		
imp.	1 Homog.		
imp.			
p. comp.	2 Hétérog.		
imp.			
imp.	2 Homog.		
imp.			
p. comp.			
prés.	3 Hétérog.		
p. comp.			
p. comp.			
p. comp.	4 Homog.		
p. comp.			
p. comp.			
condit.			
p. comp.	3 Hétérog		
imp.	1 Homog.		
imp.	1 Hétérog.		
p. comp.			

Soit : 41 temps verbaux, 19 transitions homogènes, 21 transitions hétérogènes.

pas que j'étais grosse, moi !... Je ne l'ai su que l'mois d'après... »

Commentaire. C'est un récit en style direct, fait dans une situation de communication orale : ceci explique la prédominance des temps du monde commenté (prés., p. comp.), mais aussi le grand nombre de temps du monde raconté (un seul p. simple et 14 imp.) et de temps verbaux pour un petit nombre de lignes (cf. l'extrait 1). La situation d'énonciation (Rosalie s'adresse au juge) et les contraintes du récit (relation de faits passés) se conjuguent. Un résumé fondé sur l'unique temps du premier plan serait absurde, d'où la nécessité soulignée par Weinrich d'intégrer les passages en style direct par rapport aux verbes qui les introduisent (ici : « Alors elle se mit brusquement à parler... »). Néanmoins, l'examen de ce passage indique la permanence de l'imp. comme temps de l'arrière-plan et la substitution du p. comp. au p. simple comme temps du premier plan dans un récit oral. L'importance numérique des transitions hétérogènes indique le va-et-vient du raconté au commenté, de la rétrospection (p. comp. dans le commenté) au présent de l'énonciation (présent dans le commenté) ou au point zéro du récit (imp., p. simple), sans parler de la prospection (condit. : « Je l'aurais suivi au bout du monde... »).

H. Weinrich propose une grille qui permet de rassembler les informations concernant les temps, les transitions : on pourra se reporter à son ouvrage. Ainsi conduite, la manipulation des temps d'un texte écrit permet de percevoir les possibilités de passage très rapide d'un plan à un autre, d'une perspective à une autre, d'un aspect temporel à un autre. Elle permet aussi de dégager les niveaux narratifs : ici le récit du narrateur anonyme (récit au p. simple du jugement de Rosalie ; niveau 1) et le récit de Rosalie (récit au p. comp. de sa séduction, de sa grossesse et de son accouchement ; niveau 2) ; à ces niveaux correspondent des décalages stylistiques (essai de reconstitution de la langue orale de Rosalie : passage obligé aux temps du monde commenté et marques du sociolecte et de l'idiolecte). Deux systèmes temporels donc, pour deux fictions qui se croisent et fonctionnent l'une par rapport à l'autre (les faits passés expliquent la situation présente ; Rosalie est devant un tribunal pour raconter son histoire ; c'est son récit qui la conduit à l'acquittement).

Le récit filmique ne possède pas, en première approximation, la souplesse temporelle de l'écrit. L'image mouvante et le dialogue filmique ne sauraient se déplacer aussi vite sur les lignes du temps sans égarer le spectateur et l'on sait que les cinéastes qui ont contribué à élargir les possibilités d'expression temporelle du film ont souvent rencontré les résistances des producteurs et du public (Carné, Welles, Resnais, Bergman, Fellini, Saura, etc.).

La grande syntagmatique de la bande-image de Christian Metz (voir 5.3.) constitue un outil intéressant pour poser des repères de l'organisation temporelle d'un film. Cependant il nous paraît important de prêter d'emblée attention aux relations de la bande-image avec les diverses informations fournies par les dialogues. Ceux-ci relèveraient d'ailleurs d'une analyse linguistique. On peut y étudier la distribution des temps verbaux selon monde commenté/monde raconté, premier plan/arrière plan, rétrospection/point zéro/anticipation, en prenant soin de rapporter les résultats de l'anayse

— d'une part au sujet de l'énonciation et à sa situation dans le récit (« voix » intra-diégétique ou extra-diégétique, situation dans la diégèse, etc.),

— d'autre part à la bande-image.

Exemple 1. Analyse du début de *Jules et Jim* de François Truffaut (voir texte ch. 9.1.).

1. **Exergue.** Voix off féminine, insituable diégétiquement (l'histoire n'a pas commencé) et physiquement (l'écran reste noir). Texte aux temps du monde commenté (présent, p. comp.), avec, par rapport au point zéro de l'énonciation orale, rétrospection. Un « je » et un « tu » : le « je » de la locutrice, un « tu » anonyme. Nous avons vu (voir 9.1.) que ce début, très énigmatique, prend à la fin du film, comme d'ailleurs bon nombre des images qui suivent, valeur de programmation symbolique (relations entre Jim et Catherine). Il se situe dans un « hors-temps » diégétique et narratif (hors-temps narratif par rapport aux embrayeurs de la narration que vont être la voix off du récitant et la bande-image).

2. **Générique.** Bande-image : syntagme a-chronologique ˚ (voir 5.3.). Le temps y apparaît comme thème (le sablier). Programmation symbolique (le duel, la course, l'aveugle et le paralytique) et narrative (les femmes, l'enfant). Ancrage historique (costumes, toile de Picasso). Pas de relation entre les images et le texte du générique, non diégétique (mais noter la conjonction entre la petite fille et le nom de l'actrice-enfant : jeu de télescopage entre film et diégèse).

3. **Scènes muettes et voix off.** Voix off extra-diégétique. Ancrage historique précis des images par le texte (1912). La bande-image projetée seule pourrait être identifiée comme un syntagme a-chronologique (expérience toujours intéressante à tenter dans une perspective pédagogique) ; mais les informations apportées par la voix off indiquent une liaision chronologique entre les scènes (des rapports de consécution) : il s'agit d'une séquence par épisodes (voir 5.3.). C'est encore le texte qui ancre temporellement les images les unes par rapport aux autres. Les temps verbaux sont du monde raconté (p. simple, imp., p.q.p.) avec prédominance des temps de l'arrière-plan au début (imp. et p.q.p.) et progression quantitative du premier plan (p. simple). Les rapports texte/images sont de redondance parfois (la malle), de complémentarité le plus souvent, soit narrative, soit symbolique (les dominos, la montre-bracelet).

4. **Séquence Merlin/Thérèse.** La voix off, qui était au « premier plan narratif », est relayée par l'image. Plus précisément encore, du point de vue linguistique, l'image prend la suite des passés simples du texte, elle prend en charge le monde raconté et le premier plan (au sens où Weinrich utilise ces termes : mais dans ce sens, il semble que le cinéma ne connaisse *que* le premier plan ; c'est sans doute ce que l'on veut exprimer lorsque l'on dit que l'image filmique est toujours au présent ; en fait, on voit bien ici que l'image montre le monde raconté — et que, par conséquent, elle est « irréalisante », elle n'est pas au présent, même si pour le spectateur elle se déroule présentement — elle montre sans distinction de plans temporels ; en somme, *l'image filmique se situe sur **un** plan temporel, seul le texte peut réintroduire les distinctions 1er plan/arrière-plan*). Il s'agit ici d'une Scène en temps réel (voir 5.3), constituée, si l'on s'en réfère au découpage, de deux plans. Le dialogue est au présent (temps du

monde commenté : les personnages vivent la situation au présent). La consécution temporelle des deux plans est identifiable grâce à la conjonction de divers éléments : continuité du dialogue, de l'image (mouvements d'appareil et montage « cut »), du décor et du comportement des personnages. Le fondu enchaîné qui clôt la séquence introduit une ellipse temporelle.

Exemple 2. Début de *La Règle du jeu* de Jean Renoir (voir 5.1.).

C'est l'image qui nous place d'emblée dans la fiction. Les informations temporelles sont données par le texte (*22 h, nous venons d'arriver, voici*) dont les temps verbaux sont ceux du monde commenté (reportage en direct de la speakerine, dialogues). Des plans 1 à 6 les rapports texte/images assurent la consécution temporelle des événements (montage « cut », complémentarité, continuité). Jusqu'au plan 6, selon la classification de Metz, on a affaire à une Séquence Ordinaire (ou à une Scène en temps réel, mais du plan 2 — l'avion qui atterrit — au plan 4 — Jurieu dans la carlingue — il nous semble y avoir une légère contraction du temps). Mais les plans 7 à 10 invitent à reconsidérer les choses (le plan 10, non reproduit ici, nous ramène dans la chambre de Christine) : il s'agit d'un Syntagme narratif alterné (le rapport temporel entre les deux séries événementielles (Jurieu au Bourget/Christine dans sa chambre) est de simultanéité. Ce rapport temporel est manifesté par le montage (alterné) *et* par le contenu de l'image (le récepteur de T.S.F., une femme) *et* par le texte (voix off d'Octave et de la speakerine). Pour être plus précis, disons que si les deux *séries* événementielles sont bien simultanées, les événements *ponctuellement* montrés ne le sont pas complètement : le plan 7 se situe temporellement *après* le plan 6, de même le plan 8 par rapport au plan 7 (indice : l'ingénieur) ; pour le plan 10, il est difficile de trancher puisqu'on y retrouve Christine, conversant avec Lisette, peut-être en continuité avec le plan 7. Un schéma possible :

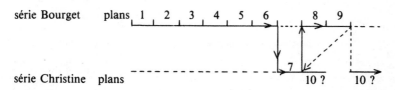

173

Un schéma plus précis porterait pour chaque plan des segments proportionnels à la durée des plans (qu'on mentionnerait, pour apprécier les « temps réels » et les autres…).

Exemple 3. Le jour se lève, de Marcel Carné.

Nous proposons ici une approche des repères temporels de l'ensemble du film (disponible en super 8), réalisée à partir de deux visions « normales » de l'œuvre de Carné et Prévert. Quelques erreurs ont donc pu se glisser dans les résultats obtenus (qui sont à vérifier…), mais nous préférons livrer tel quel ce travail aisément transposable dans une classe.

Sur le tableau d'ensemble du film, nous portons les indications suivantes : temps de la projection (chronométré), informations sur le temps de la fiction (à l'image, dans les dialogues), procédures de passage d'une séquence à une autre, lieux et éléments de l'action.

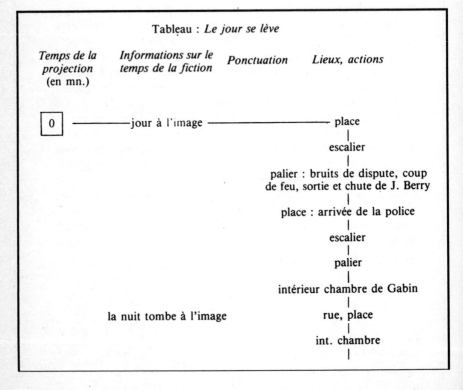

Tableau : *Le jour se lève*

Temps de la projection (en mn.)	Informations sur le temps de la fiction	Ponctuation	Lieux, actions
0 ————	jour à l'image ————————————		place
			escalier
			palier : bruits de dispute, coup de feu, sortie et chute de J. Berry
			place : arrivée de la police
			escalier
			palier
			intérieur chambre de Gabin
	la nuit tombe à l'image		rue, place
			int. chambre

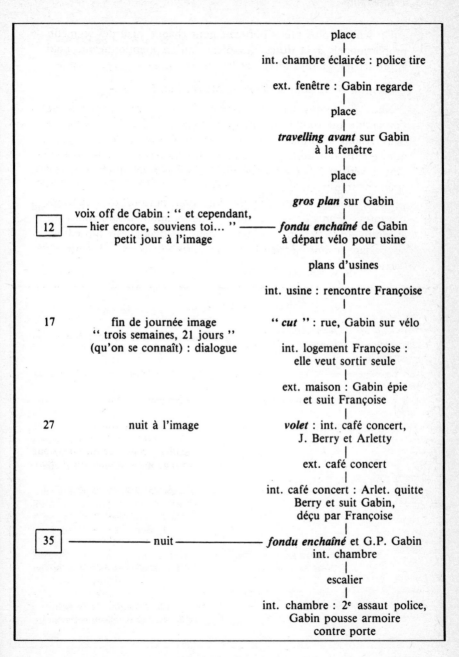

place
|
int. chambre éclairée : police tire
|
ext. fenêtre : Gabin regarde
|
place
|
travelling avant sur Gabin
à la fenêtre
|
place
|
gros plan sur Gabin

voix off de Gabin : " et cependant,
12 — hier encore, souviens toi... " —— *fondu enchaîné* de Gabin
petit jour à l'image   à départ vélo pour usine
|
plans d'usines
|
int. usine : rencontre Françoise
|

17   fin de journée image   " *cut* " : rue, Gabin sur vélo
" trois semaines, 21 jours " |
(qu'on se connaît) : dialogue   int. logement Françoise :
elle veut sortir seule
|
ext. maison : Gabin épie
et suit Françoise
|

27   nuit à l'image   *volet* : int. café concert,
J. Berry et Arletty
|
ext. café concert
|
int. café concert : Arlet. quitte
Berry et suit Gabin,
déçu par Françoise
|

35 ———————— nuit ———————— *fondu enchaîné* et G.P. Gabin
int. chambre
|
escalier
|
int. chambre : 2e assaut police,
Gabin pousse armoire
contre porte

42	jour à l'image	**fondu enchaîné** de l'armoire à porte de chambre en état normal : départ Gabin
		escalier
		Gabin traverse place
		hôtel ext.
	Gabin : " C'est dimanche " Arletty : " Ça fait deux mois que je moisis ici. "	int. chambre Arletty : dialogue amoureux, venue de J. Berry
50		" *cut* " int. café : J.-B. prétend être père de Françoise
56	jour à l'image	**fondu enchaîné** de J.-B. à rue
	" on se voit tous les jours "	Gabin et Françoise dans la serre
62	jour	" *cut* " : Gab. et Arlet. ext. fenêtre
		int. chambre Arlet. : rupture et révélation d'Arletty
67		**fondu enchaîné** d'Arlet. en P.R.
	nuit	à armoire int. chambre Gabin
	plan du lever du soleil	int. et ext. : miroir brisé, harangue de Gabin à la foule, intervention police ; Arlet. emmène Françoise évanouie chez elle
73	nuit	**fondu enchaîné** de armoire int. chambre Gabin (au terme d'un travelling avant) à entrée de J. Berry par la porte
	Gabin remonte son réveil pour se coucher	int. chambre / entrevue Berry / Gabin, répliques et coup de feu du début
83		**fondu enchaîné** de la porte refermée par J. Berry à l'armoire

```
                                            police
                                              |
84      Françoise : " il n'était     " cut " : int. chambre Arletty,
        plus le même... "                  avec Françoise
                                              |
                                     policiers sur le toit
                                              |
87                                   int. chambre Gabin : revolver
                                              |
                                     ext. fenêtre : coup de feu, jet
                                          de grenade
                                              |
        le réveil sonne             lent travelling arrière : int.
                                     chambre avec cadavre de Gabin
                                              |
90    ───────────────────────────── P.E. int. chambre et fondu
                                          au noir
```

Commentaire du tableau. Le récit procède par retours en arrière successifs à partir d'un point temporel J que l'on peut situer vers 22 heures (on voit en effet, à la fin du film, que François-Gabin reçoit la visite de J. Berry au moment où il remonte son réveil et s'apprête à se coucher ; le film s'achève à la sonnerie du réveil, que nous situons vers 6 heures du matin). Nous appellerons donc J 22 l'instant du premier flash-back et (J + 1) 6 le moment du dernier plan. De J 22 à (J + I) 6, la nuit tombe et le jour se lève... Mais insistons sur le fait que ces indications temporelles relativement précises sont par nous déduites d'informations données à l'image et par le son, et non précisées (nous n'avons pu lire l'heure marquée par le réveil, par ex.). Autres périodes repérables : le jour A de la rencontre Françoise/François, le jour B de la soirée au café-concert, le jour C (un dimanche) à l'hôtel avec Arletty puis au café avec J. Berry, le jour D dans la serre avec Françoise puis (peut-être) avec Arletty à l'hôtel. De A à B, trois semaines ; de B à C, deux mois ; de C à D, pas d'information (sans doute quelques jours, le dialogue indiquant que Françoise et François se revoient depuis quelques temps) ; de D à J 22, pas d'information, mais le délire de Françoise dans la chambre d'Arletty indique qu'elle a revu Gabin depuis les « révélations » de cette dernière. On remarque que plus on se rapproche du jour J, moins les indications temporelles sont précises : sans doute les auteurs ont-ils pensé que le spectateur se repérerait plus facilement au fur et à mesure de l'avancée de la fiction et de la narration filmiques, qui sont concomitantes.

Nous pouvons faire figurer sur un schéma la durée des séquences, la mention des ellipses temporelles et le temps de la fiction :

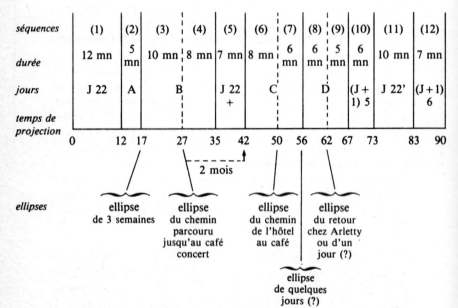

L'espace A se structure d'une série de plans courts descriptifs (Syntagme en accolade) et d'une Scène en temps réel (Françoise à l'usine). L'espace B est constitué de deux Séquences ordinaires, la première très proche d'une Scène en temps réel. L'espace C : une Séquence ordinaire et une Scène en temps réel, montées « cut ». L'espace D : deux Scènes en temps réel séparées par une ellipse. Les espaces J 22, J 22 + et (J + I) 5 sont des Séquences ordinaires ; J 22' et (J + I) 6 sont des Scènes en temps réel. Tout se passe comme si la hardiesse de construction du film (pour l'époque), à savoir le recours systématique au flash-back comme principe de narration, était « corrigée » par la sagesse du traitement temporel de chaque séquence, très proche du temps réel. On voit ainsi s'opposer un principe de discontinuité (les retours en arrière) à un principe de continuité (scènes en temps réel).

Au fondu enchaîné est dévolue la fonction de ponctuation temporelle : il marque *et* signifie l'écoulement du temps ou, plus exactement, le passage « en arrière » (flash-back) ou « en avant » (de l'espace C à l'espace D) dans le temps. Mais on notera que le dialogue complète les informations (voir, notamment, au début du film, la conjonction fondu-enchaîné-voix off) et que l'image dispose des repères (la porte et l'armoire). D'ailleurs le montage « cut » de A à B ou le volet de B(3) à B(4) ou encore le « cut » de C(6) à C(7) montrent que Carné a utilisé d'autres procédés de ponctuation temporelle.

On appréciera le jeu des conventions filmiques concernant le temps en calculant les rapports des temps de projection aux temps « socialisés » (Exemple : A nous montre 5 mn d'une journée, B 18 mn d'une soirée ; de J 22 à (J + I) 6, soit 8 heures, nous voyons quelques 40 mn). Le choix est évidemment fonction des intentions dramatiques (ici focalisées sur les « moments forts » : cf. les films d'Antonioni).

Risquons un autre schéma indiquant la trajectoire filmique par rapport à la chronologie : sur l'axe horizontal, les espaces temporels dans l'ordre chronologique, indication des séquences numérotées comme ci-dessus et trajectoire fléchée :

Au-dessus de l'axe, les séquences progressent « en avant », au-dessous elles progressent « en arrière » : on compte trois retours en arrière et huit passages « en avant ». Structure relativement simple si on la compare à celle de certains films d'Alain Resnais ou de Carlos Saura. On note le « bouclage » temporel à la

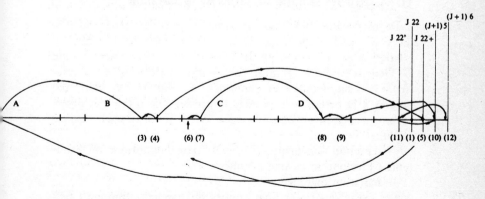

séquence (11), et le prolongement de (11) à (12). Le retour obligé à la séquence initiale souligne le poids du destin : impossible (à Gabin, au film, au spectateur) d'éviter le coup de feu fatal inscrit dès le début du récit. Dans cette perspective, le temps n'est pas maîtrisé mais subi. Il est intéressant de rapprocher cette constatation

— de la « tirade » de Gabin sur sa malchance ;

— de l'absence d'ancrage historique précis de la fiction (pas de date, effet de contemporanéité, pas de référence à des événements-repères, pas de référence à la vie politique ou syndicale dans ce film se déroulant en milieu ouvrier et malgré quelques répliques revendicatives) ;

— du caractère « synthétique » des décors (pas de décor naturel, mais des rues et une place reconstituées en studio) et des costumes.

L'analyse indique — que les repères temporels filmiques sont multiples et qu'il faut être attentif à la façon dont ils se complètent ou non (ou, éventuellement, se contre-disent ou se brouillent l'un l'autre : voir *Le Charme Discret de la Bourgeoisie*, 10.1.2.) ;

— que le traitement du temps filmique a un sens, en lui-même et dans ses rapports avec d'autres éléments du récit.

11.2. Temps de la narration et temps de la fiction

11.2.1. Repères et durée du temps de la narration

De même que la fiction, la narration peut être datée ou non datée (et cette datation ou absence de datation sont à mettre en relation avec le temps de la fiction pour déterminer ce que G. Genette définit comme narrations « ultérieure », « antérieure », « simultanée » et « intercalée » : voir 10.2.). Mais, par rapport à la fiction, elle possède le privilège de n'être pas nécessairement marquée. Dans un récit écrit, on distinguera les cas suivants :

— narration non marquée : pas de trace linguistique du narrateur, « l'histoire se raconte elle-même » ;

— narration marquée :

• il existe des traces linguistiques du narrateur (pronoms personnels, locutions et temps verbaux du monde commenté), qui ne se confond pas forcément avec l'auteur (la narration n'est pas l'énonciation) ;

• un ou plusieurs narrateurs sont représentés, instituant des niveaux de narration (récits enchaînés, emboîtés, etc.). Dans ce cas comme dans le précédent, la datation de la narration est plus ou moins précise.

On peut comparer, à titre d'exemples, les extraits cités de *La Petite Roque* (1), *Julie Romain* (2) et *Rosalie Prudent* (3) : voir 8.3.2., 8.1. et 11.1.

Dans l'extrait (1), pas de trace du narrateur omniscient qui s'efface derrière un récit en 3ᵉ personne où dominent les temps du monde raconté. Dans l'extrait (2) un narrateur conte en 1ʳᵉ personne sa propre aventure ; les temps sont ceux du monde raconté : la narration est ultérieure à la fiction, mais non datée. Dans l'extrait (3), on observe deux niveaux de narration : un niveau 1 (récit du procès de Rosalie) à narrateur « effacé » et un niveau 2 (récit de la séduction, de la grossesse, de l'accouchement et de l'infanticide) à narrateur représenté (Rosalie) ; le récit de niveau 1 est à narration ultérieure (temps du passé) ; les rapports temporels entre les deux niveaux sont repérables grâce à certaines informations (le séducteur est arrivé « l'an dernier », le médecin a immédiatement « tout compris »).

On trouvera dans *Figures III* de G. Genette une analyse détaillée et de nombreux exemples et références concernant cette question (42).

Au cinéma, on peut également distinguer :

— Les récits à narration non marquée : le film défile et l'histoire « se déroule » d'elle-même ; la présence d'un générique manifeste l'existence d'un dispositif de fabrication et de narration (pour reprendre les termes de Metz, le générique, c'est la manifestation du *cinéma* — en tant qu'institution — dans le film) : c'est sans doute pourquoi certains films voient le générique supprimé ou placé à la fin de la projection ; une époque vit se multiplier les « prégénériques » qui permettaient d'embrayer directement la fiction ; mais le prégénérique s'utilise parfois aussi pour focaliser sur la narration.

— Les récits à narration marquée

• au son seul : une voix off « accompagne » la bande-image (voir *Jules et Jim*) ;

• au son et à l'image, avec ou sans décalage temporel entre les deux.

Exemples. Au début de *La Comtesse aux pieds nus*, la voix off d'Harry Dawes (H. Bogart), personnage de la diégèse, évoque au passé ses sentiments et ses pensées lors des obsèques de Maria Vargas (A. Gardner), visibles à l'écran (narration linguistique orale ultérieure, par conséquent, alors que la bande-image renvoie à la fiction). Puis Dawes (voix off toujours) se présente (au présent) au spectateur, évoque sa première rencontre avec Maria ; un flash-back double (par rapport aux obsèques et par rapport au temps de la narration) laisse alors « parler l'image », la narration filmique relayant la narration orale. Les niveaux narratifs sont marqués par les décalages image/son et par un fondu enchaîné. On voit clairement apparaître ici deux « sources narratives », l'une (Harry) orale, représentée, intra-diégétique, l'autre filmique, non marquée :   voir « L'Avant-Scène », n° 68, mars 67.

On a déjà vu comment Truffaut, dans *Jules et Jim*, exploite d'une autre manière les ressources du double foyer narratif propre au film (voix off anonyme) ; cf. *Une Belle fille comme moi* (voir 10.1.2.), *L'homme qui aimait les femmes*, etc.

Une question se pose : si un narrateur peut linguistiquement manifester sa présence dans un énoncé oral ou écrit, en est-il de même pour un énoncé filmique ? Les exemples cités jusqu'ici semblent indiquer que les narrateurs filmiques se manifestent dans des énoncés linguistiques (texte oral ou inter-titre). Mais un « grand imagier » peut-il marquer ses propres images ? S'il s'y représente, il s'intègre à la fiction et change de plan ou de niveau narratif. On ne peut opérer sur la seule bande-image la distinction récit en 1re personne/récit en 3e personne. Mais au niveau du montage, et selon des conventions et des procédures variables avec les époques, le narrateur filmique intervient de manière plus ou moins intempestive pour s'effacer ou s'imposer (voir ch. 12. et 13.).

L'écriture « monnaye » (selon l'expression de Ch. Metz) le temps en espace (espace du livre, de ses parties, pages, paragraphes, etc. : voir ch. 4.) alors que le film monnaye le temps en un autre temps. Il en résulte que la durée de la narration filmique est toujours déterminable (c'est la durée de la projection), alors qu'on ne saurait assimiler le temps de la lecture d'un récit écrit au temps de sa narration. La durée d'un film est éventuellement la somme des temps des narrations de divers niveaux et du temps de la narration des narrations (voir, par ex. *Rashomon* ou *La comtesse aux pieds nus*). Il est également possible de faire coïncider le temps d'une narration orale avec sa transcription écrite (il s'agit alors de l'articuler : mais les rythmes de lecture sont très variables) ou sa représentation filmique (voir *Une sale histoire*, de Jean Eustache). Mais ces éléments sont surtout intéressants à considérer en fonction de la vitesse du récit.

11.2.2. Vitesse du récit

Dans *Figures III*, G. Genette définit la vitesse d'un récit écrit comme le rapport entre la durée de l'histoire, mesurée en années, mois, jours, heures, etc., et la longueur du texte, mesurée en lignes ou pages. Cette notion — ou ce rapport — permet de définir les possibilités théoriques suivantes :

— le récit à *vitesse constante* (un nombre de lignes constant pour une durée diégétique constante : cas limite non répertorié...),

— l'*ellipse* (temps de l'histoire = n, nombre de lignes = 0),

— la *pause* (temps de l'histoire = 0, nombre de lignes = n : pause descriptive, par ex.),

— la *scène* (temps de l'histoire = temps de la narration, mais s'agissant d'un récit écrit cette égalité ne peut qu'être conventionnelle puisque les unités de mesure ne sont pas les mêmes... néanmoins le dialogue réalise au plus près l'équivalence temporelle définie : il dure le temps qu'il faut pour le dire),

— le *sommaire* (temps de narration inférieur au temps de l'histoire : 50 ans résumés en trois lignes ; mais cette vitesse peut avoir été choisie comme quasi-constante : voir les récits-exprès),

— la *scène ralentie* (le temps de la narration déborde le temps diégétique : 2 mn racontées en 200 pages ; mais selon Genette la scène ralentie est en fait, en littérature, une scène allongée par des pauses descriptives, des éléments extra-narratifs (intrusions d'auteur) ou des insertions à un autre niveau (flash-back mémorisé).

Cette catégorisation est transposable au cinéma. Mais la vitesse du récit filmique étant définissable comme le rapport d'un temps (diégétique) à un autre temps (projection), les deux possibles théoriques irréalisés en littérature, sont tout à fait réalisables au cinéma :

— Récit à *vitesse constante* (une même durée diégétique pour une même durée de projection : par ex. un jour pour 10 mn ; nous n'avons pas d'exemple de réalisation stricte de ce type de récit, mais de nombreux films s'en rapprochent).

— *Ellipse* (temps diégétique = n, temps de projection = 0 ; il y aurait lieu de distinguer les procédures elliptiques, du montage « cut » pour lequel T projection = 0 au fondu enchaîné pour lequel T > 0 : voir les longs fondus de *Shangaï Express* de Sternberg).

— *Pause* (temps diégétique = 0, temps de projection = n ; on a vu que la pause descriptive complète est rare au cinéma : *Le Jour se lève* en fournit un exemple dans la série des plans fixes d'usine à la séquence (2) ; notons que l'image arrêtée est une des procédures de pause filmique).

— *Scène* (temps diégétique = temps de projection ; égalité réalisée dans les scènes en temps réel ; la prouesse technique consistant en la réalisation d'un film entier en temps réel a été réussie par Jean Rouch dans *Gare du Nord* — sketch du film *Paris vu par...* tourné en un seul plan correspondant aux capacités du chargeur de la caméra utilisée — et, avant cela, par Alfred Hitchcock dans *La Corde* — long métrage « montant » bout à bout des séquences d'une durée correspondant au chargeur de la caméra, chaque séquence se terminant par un travelling avant sur un personnage et commençant par un travelling arrière, la transition étant assurée par un passage au noir).

— *Sommaire* (temps de projection inférieur au temps diégétique ; dans la classification de Metz — voir 5.3. — les deux types de Séquences — par épisodes et ordinaire — correspondent à des sommaires ; on peut aussi signaler l'accéléré, comme sommaire à « effet spécial » : voir, dans *Orange mécanique*, de S. Kubrick, la séquence « érotique » du héros avec les deux filles, sommaire en accéléré, peut-être parodique d'une séquence similaire de *Blow-up* d'Antonioni).

— *Scène ralentie* (temps de projection > temps diégétique ; on songe évidemment aux effets bien connus de ralenti : voir la procession des collégiens en révolte dans *Zéro de conduite* de Vigo, la rencontre du marin et de la petite fille dans *Lola* de Jacques Demy, l'accident des *Choses de la vie* de Claude Sautet, les scènes de fusillades et de mort dans *La horde sauvage* de Sam Peckinpah, etc. ; mais le montage des images est un autre moyen de dilater le temps diégétique : voir la scène de l'assiette cassée et celle de l'escalier d'Odessa dans *Le cuirassé Potemkine* d'Eisenstein).

Une analyse fine de l'organisation temporelle d'un film articulerait ces aspects d'une part à l'outil que constitue la Grande Syntagmatique de Metz (voir 5.3.), d'autre part aux divers points de vue et perspectives narratives.

Ainsi la séquence B (4) du *Jour se lève* (au café-concert : voir 11.1.) : 8 mn de temps de projection pour une période diégétique incluant la fin du numéro d'une chanteuse, le numéro complet de J. Berry avec ses chiens dressés, la rencontre Gabin-Arletty — pendant le numéro du dresseur —, la rupture avec Berry. Il s'agit d'une Séquence ordinaire en sommaire faisant alterner les focalisations *sur* et *par* Gabin, Arletty, Berry, Françoise et, en outre, le point de vue « neutre » de la caméra. Le découpage ne privilégie donc pas le temps vécu par Gabin qui est pourtant le personnage - embrayeur de la fiction-souvenir ; il est en fait déterminé par la fonctionnalité narrative. On pourrait comparer ce traitement du temps à celui qu'opèrent Alain Resnais et Marguerite Duras dans *Hiroshima mon amour :* le montage, l'utilisation des voix off, les variations du noir et blanc à l'image, les changements de vitesse du récit structurent une sorte de temporalité mentale propre au personnage central (voir, à ce propos, les analyses de M.C. Ropars dans *De la littérature au cinéma*) (95). Le temps diégétique est alors celui de la perception des personnages qui peut déformer la réalité objective. On peut analyser de cette façon les ralentis cités ci-dessus et, dans ce cas, le temps diégétique correspond bien au temps de la projection.

11.23. Narration, fiction et temps socio-historique

Nous avons déjà évoqué la question de la datation de la fiction et du choix des repères et des références donnés pour le temps diégétique. Les problèmes idéologiques soulevés sont trop connus pour qu'on ait besoin d'y insister. Mais on pense moins souvent à l'empreinte du temps socio-historique de la narration sur la fiction. Nous terminerons, sans le clore, ce chapitre **Temporalité** par quelques indications sur ce sujet, renvoyant le lecteur, pour une étude plus approfondie, au très passionnant livre de Pierre Sorlin, *Sociologie du cinéma* (102).

D'une façon générale, il semble qu'un film soit plus marqué qu'un roman par le temps socio-historique de sa production. Un récit écrit porte traces de l'époque de son élaboration dans

— la substance du contenu : il existe des thèmes, des sujets d'époque,

— la forme du contenu, notamment l'organisation en genres, mais aussi les structures de la narration et les structures idéologiques,

— la substance de l'expression, dans la mesure où les techniques de reproduction graphiques évoluent ; cependant, on lit aujourd'hui un récit du 17ᵉ siècle et un récit contemporain selon des caractères et une ponctuation « normalisés »,

— la forme de l'expression, les langages utilisés par les écrivains étant évidemment historiquement situables ; à titre d'exemple, suggérons de comparer des récits se déroulant à l'époque révolutionnaire et, plus précisément, la façon dont on fait parler des hommes et des femmes de la fin du 18ᵉ siècle selon qu'on écrit au début ou à la fin du 19ᵉ ou au milieu du 20ᵉ...

Dans un récit filmique, la substance et la forme du contenu sont pareillement influencées. Mais la substance de l'expression est beaucoup plus marquée, et de façon définitive : les techniques d'enregistrement de l'image puis du son ont considérablement évolué, progressé et l'on identifie facilement un film tourné dans les années 20, 30, 40 ou 70 par le grain de la photo, la définition des gris ou des couleurs, la qualité des effets spéciaux et des enregistrements sonores. L'état de la technologie marque le film de façon indélébile. Ceci n'est pas sans effet sur sa réception et l'on peut se demander si ce qu'on perçoit d'un film de 1930 se déroulant dans l'Antiquité n'est pas plus aujourd'hui le temps du tournage que le temps diégétique (effet de distanciation involontaire qui n'est pas prisé des spectateurs qui désirent « adhérer » aux films et évitent pour cette raison les bandes dites « vieillies » : la proximité historique du tournage est peut-être une condition de bon fonctionnement des processus d'identification-projection au cinéma...).

Enfin la forme de l'expression est d'autant plus marquée par l'époque qu'elle est diversifiée : ce sont le montage, la musique, le langage verbal, le maquillage, les gestes, etc. qui renvoient au temps du tournage, lequel affecte profondément la fiction. Que l'on compare, pour s'en convaincre, les différentes versions d'une même histoire : *Ninotchka* (avec G. Garbo) et *La belle de Moscou* (avec Cyd Charisse), *Guerre et Paix* de King Vidor et de Bondarchouk, *Nosferatu* de Murnau et le premier *Dracula* de Terence Fisher, etc. On est conduit à reconsidérer l'idée d'une « vérité » des reconstitutions historiques ou sociales les plus minutieuses et les plus généreuses. Ce qui apparaît a posteriori le plus nettement, c'est bien le regard d'une époque sur elle-même ou sur une autre (ex. : Rossellini et l'Italie des années 50, puis Louis XIV), regard qui définit plus le sujet regardant que l'objet regardé.

TROISIÈME PARTIE

Pour ne pas conclure : narration et dys-narration

Ce chapitre a pour objet les relations que le récit entretient avec la narrativité. En gros quatre attitudes sont possibles :

1. Le récit assume pleinement, euphoriquement la narrativité. Raconter une histoire est bien l'objectif essentiel poursuivi par l'auteur.

2. Le récit est un moyen, un support voire un prétexte. Les structures narratives sont en quelque sorte l'enveloppe d'un « autre » message.

3. Le récit est complètement refusé. Toute trace de narrativité est systématiquement évacuée du texte.

4. Le récit est contesté de l'intérieur. Les structures narratives sont utilisées mais subverties de diverses façons (*Dysnarration*).

12. L'EUPHORIE NARRATIVE

Nombre de romanciers et de cinéastes déclarent, à propos de telle de leurs œuvres, qu'ils n'ont eu d'autre intention et ambition que de raconter une histoire. Qu'est-ce que cela signifie ? Qu'ils se sont effacés de leur texte pour laisser parler les structures narratives, les constituants de l'histoire (à savoir les personnages et les événements de la fiction) ? Que la diégèse domine, au détriment du discours ? Que l'effet poursuivi n'est pas de faire passer un message (philosophique, moral, politique) mais de saisir le lecteur/spectateur au fil de péripéties enchaînées ? Il est frappant de constater que, dans ce type de déclaration, raconter s'oppose généralement à dire. (*Qu'avez-vous voulu dire ? Rien. J'ai simplement voulu raconter une histoire*).

L'histoire des débuts du cinéma est, comme le souligne Christian Metz après G. Sadoul, J. Mitry et bien d'autres, celle de la rencontre avec la narrativité. Les opérateurs de Lumière, Meliès, Feuillade, Pastrone, Porter, Ince et surtout Smith, Williamson et Griffith ont mis au point des procédés de filmage qui étaient tous déterminés par, subordonnés à un projet narratif. C'étaient, selon l'expression de Metz (61, p. 98), des « hommes de la dénotation plus que de la connotation, ils voulaient avant tout raconter une histoire ; ils n'eurent de cesse qu'ils aient plié aux articulations — même rudimentaires — d'un discours narratif le matériau analogique et continu de la duplication photographique ».

On sait le succès du film narratif. Mais il est important de souligner que l'euphorie narrative est en quelque sorte native, au cinéma et que les procédés filmiques (de la surimpression au montage parallèle en passant par les fondus, mouvements d'appareil, gros plan etc.) ont été d'emblée des procédés narratifs*.

Les pressions économiques ont fait le reste : le cinéma est devenu une machine à raconter. Le fonctionnement de l'industrie cinématographique est déterminé par les exigences de la narration représentation, seule base commerciale « sûre ». Ceci est manifeste dans l'utilisaton des moyens de production (caméra, moyens d'enregistrement des sons, placés au service de la diégèse) et dans l'organisation ou la division du travail : rôle des scénaristes par rapport au metteur en scène, que ce soit à la grande époque d'Hollywood (Voir *Hollywood* de Cendrars, les lettres de Raymond Chandler, *Le dernier Nabab* de Scott Fitzgerald, filmé par Kazan, etc.) ou aujourd'hui en France (l'avance sur recette s'obtient à l'aide d'un script : l'histoire est première). La narrativité au cinéma est une institution, au sens où l'entendent les sociologues et psycho-sociologues : elle constitue un ensemble de règles historiquement établies et qui régissent les activités d'un certain nombre de personnes, lesquelles intériorisent souvent ces règles au point de les trouver « naturelles » (« le cinéma était fait pour raconter des histoires... un bon film est d'abord une bonne histoire..., etc. »).

Cela dit, la narrativité a très vite été contestée par certains cinéastes ou groupes de cinéastes (voir plus bas). Par ailleurs il faut sans doute distinguer l'application mécanique de recettes narratives qui ont fait leur preuve (c'est-à-dire qui ont rapporté beaucoup d'argent) de l'euphorie narrative et inventive (même si cette invention est encore subordonnée à la narration) des grands imagiers raconteurs (Griffith, Ford, Walsh). Enfin l'impérialisme de la narration n'a pas empêché les cinéastes qui voulaient opérer

---

* Voir, à ce sujet, les textes de Georges Sadoul et Jean Mitry (99) et (70).

des ruptures ou des « sorties » du récit classique de le faire. Reconnaissons toutefois que les « non-raconteurs » ont beaucoup de mal à se faire entendre (i.e. : à produire, réaliser, distribuer leurs œuvres) : ce sont les marginaux, les maudits du « système-cinéma », et ce dans tous les pays.

Quels sont les caractères spécifiques de la « narrativité euphorique » ? Nous en proposerons deux :

1. La fonctionnalité maximum du récit. Roland Barthes (8) définit les fonctions narratives comme suit :

les *fonctions* sont des unités ayant pour corrélat une action ; elles participent d'une fonctionnalité du faire ;

les *indices* et *informations* sont des unités renvoyant à un concept (caractère, atmosphère, etc.) et participent d'une fonctionnalité de l'être.

La narrativité euphorique assure la convergence et l'harmonie entre fonctions, indices et informations. Les fonctions infléchissent le récit selon la direction tracée par les informations et indices qui les précèdent ou les suivent. Nous avons vu comment « l'avance » ou le « retard » du narrateur par rapport à tel personnage (et au narrataire) pouvait être purement fonctionnel (analyse de *La Petite Roque*, de *Psychose*). Nous avons vu comment certaines descriptions opéraient un « stockage » des informations en vue des actions à venir ou des atmosphères à créer. La narrativité euphorique subordonne strictement la distribution des informations, indices et fonctions à la fonctionnalité du récit. Retards, leurres et hasards structurent les réponses aux questions, le dévoilement des énigmes selon le programme que s'est fixé l'auteur.

Ex. : Dans *Rosalie Prudent* le narrateur, forçant le narrataire d'adopter le point de vue du président et des jurés, mentionne le meurtre d'*un* enfant ; il abdique son omniscience pour laisser intacte l'énigme (c'est parce qu'elle a mis au monde *deux* enfants que Rosalie s'est résolue à l'infanticide) ; le dévoilement de l'énigme sera retardé par différents procédés déjà mentionnés, mais aussi par l'ordre même adopté par Rosalie dans ses aveux sur la demande du président : « Voyons, dites-nous d'abord quel est le père de cet enfant ? », puis « ... dites-nous comment cela est arrivé », enfin « Pourquoi l'avez-vous tué, alors ? — V'là la chose... » ; l'ordre chronologique est respecté parce qu'il permet de repousser le dévoilement de l'énigme à la fin du récit.

Dans *La petite Roque*, le narrateur, qui a pourtant montré qu'il en savait long sur toute l'affaire (« Le facteur, à ce toucher, sentit son cœur retourné, *comme il le dit plus tard...* ») leurre, par omission, la narrataire sur les vraies raisons du savoir de Renardet (« Nom de Dieu ; je parie que c'est la petite Roque. On vient de me prévenir qu'elle n'était pas rentrée hier soir chez sa mère. A quel endroit l'avez-vous découverte ? » : la dernière question dissipe tout soupçon, Renardet « joue » avec Médéric comme le narrateur avec le lecteur.)

Il est intéressant de repérer, dans ce type de récit, la distribution des informations, indices et fonctions au fil du discours narratif, l'existence de personnages uniquement fonctionnels (ils fournissent des informations ou suscitent des actions) et d'actions secondaires destinées seulement à servir de transition d'une action cardinale à une autre. Le caractère fonctionnel de ces éléments est masqué par diverses « motivations ». Dans *L'ermite* de Maupassant, un viveur suit une fille de salle chez elle parce « qu'il a le respect de ses draps » : cette motivation pleine de délicatesse participe de la définition du personnage mais recouvre surtout l'absolue nécessité narrative de situer l'homme chez la serveuse où il découvrira une photographie révélant (trop tard pour éviter l'inceste) sa très probable paternité. Dans *La petite Roque*, Renardet sort « pour respirer la brise fraîche et calmante sous les arbres de sa futaie » ; cette motivation réaliste dissimule une motivation fonctionnelle : il sort pour rencontrer la petite Roque, la violer et la tuer.

Organisation des points de vue et perspectives narratives, distribution des qualifications et des fonctions actantielles, découpage temporel, etc. participent à la fonctionnalité d'un récit. Au cinéma, il en est de même. Le découpage et le montage des séquences sont fonction des nécessités narratives. Christian Metz définit les éléments de sa Grande Syntagmatique (voir 5.3.) en référence aux films narratifs « classiques » hollywoodiens et selon des critères fonctionnels. La distribution des acteurs est également liée aux impératifs de la fiction, comme le montre *Partie de Campagne* de Renoir (la nécessité de montrer le second canotier conduit Renoir, par rapport à Maupassant, à lui donner un nom et à le différencier négativement d'Henri — moustache trop conquérante, voix cocasse — pour justifier les accouplements futurs : voir 8.3.5.).

Un exemple entre mille de la fonctionnalité des mouvements d'appareil et des angles de prise de vue. Dans *Psychose*, le meurtre d'Arbogast est filmé en plongée verticale : de cette manière, ni le visage, ni la taille et la stature de l'agresseur ne sont visibles. A la fin du film, au contraire, au moment du dévoilement de l'énigme, l'assassin attaquant Lila est vu en pied, de face, dans l'encadrement de la porte de la cave, en focalisation *par* la jeune femme. Entre ces deux moments, une séquence nous montre Norman transportant sa mère à la cave ; un long mouvement de la caméra suit Norman à quelques distances (avec lui), se rapproche de la porte entrebaillée de la chambre où il est entré, monte brusquement au-dessus de la porte et, par un mouvement ascendant et tournant, se place à la verticale (foc. O), plus haut encore qu'à la séquence Arbogast ; Norman sort alors de la chambre, filmé en plongée verticale éloignée : il porte un corps, on devine la robe, les jambes, les chaussures... fondu au noir... Voir **Photos 23** et **24.**

Cet exemple nous conduit à définir le second caractère de la narrativité euphorique

2. L'effet de narrativité à produire sur le lecteur et/ou le spectateur.

Le premier caractère était interne (fonctionnalité interne des éléments jouant les uns par rapport aux autres dans un souci de cohérence, de vraisemblance et de stratégie informative) ; le second est externe et concerne l'effet à produire sur le lecteur, qui est double :

— il faut maintenir le désir de récit (je veux en savoir plus, connaître la suite, mais je veux que cela *dure,* je ne veux pas tout savoir de suite...) ;

— il faut maintenir la connivence narrative (je sais bien qu'on me raconte des histoires mais je ne veux pas le savoir, je veux qu'on me laisse abandonné au plaisir du « comme si c'était vrai »).

Fonctionnalités internes et externes se recoupent très souvent et cette distinction est faite pour clarifier l'exposé : on sait que la vraisemblance d'un récit fonde en grande partie la connivence, que la stratégie informative conditionne les retardements et, par conséquent, la durée du récit, etc.

L'espace fictionnel de la narrativité euphorique est très « serré ». Entendons par là : nulle ouverture. sur un dehors de la fiction. Les codes fictionnels, comme pour être mieux « reconnus » et consommés du lecteur-spectateur, se constituent en genres. Des systèmes narratifs se structurent, y compris au niveau institutionnel : Ch. Metz rappelle (63, p. 91) que dans le cinéma hollywoodien de la grande époque, « chaque genre avait ses scénaristes attitrés, parfois payés forfaitairement à l'année, ses metteurs en scène, ses petits métiers, ses studios, ses circuits de financement partiellement autonomes, etc. » Pour le spectateur, l'euphorie narrative fonctionne donc de deux façons (parfois simultanément) :

— par rapport à un référent illusoire (on me raconte une histoire « vraie » ou qui aurait pu l'être),

— par rapport à un référent textuel constitué des récits d'un même genre.

Marc Vernet (109) souligne que le genre est *inclusif* (un film appartenant à un genre donné comprend nécessairement certains éléments) et *exclusif* (certains éléments sont écartés de certains genres). Ainsi la comédie musicale inclut chansons et danses et exclut violences et atrocités alors que le film d'épouvante ou d'horreur procède à l'inverse.

Inclusions et exclusions sont significatives

— du fonctionnement du genre par rapport à l'euphorie narrative (plaisir de la reconnaissance, de la répétition — variation, sécurisation),

— des implications ou déterminations sociales et idéologiques propres à certains genres (jeu des contraintes, interdictions et refoulements),

— éventuellement, de l'évolution des genres (dans le western, introduction, au cours de l'histoire du genre, de la prostituée, de l'indien « positif », des chinois, de l'automobile, de la mort du personnage principal, etc.).

Au cinéma, certains traits sont à la fois spécifiques d'un genre et du caractère filmique du récit. M. Vernet cite l'éclairage des films policiers classiques, le travelling rapide des westerns, l'usage de la dolly (petite grue montée sur un chariot permettant une grande mobilité de prise de vues dans un espace relativement restreint) dans la comédie musicale américaine. Autres exemples empruntés à d'autres cinémas : l'éclairage des films réalistes-

poétiques français des années 30-40 (type *Le jour se lève*), le travelling optique (ou zoom) des westerns-spaghetti (Sergio Leone),
l'ample mouvement de grue ascendant ou descendant des super-
productions américaines (*La chute de l'Empire romain*), le long
plan fixe cadrant un personnage qui parle dans le cinéma français
« intellectuel » contemporain (Godard, Rohmer, Duras,
Eustache...).

Enfin l'euphorie narrative implique que la place privilégiée du
lecteur-spectateur (voir 3.2.) ne soit pas remise en cause. L'une
des conditions de sa tranquillité est l'effacement le plus complet
possible des traces de l'énonciation écrite ou filmique. En effet,
toute conscience du fait que les éléments du récit ont été choisis,
organisés, soumis à une instance narrative extérieure à la diégèse
nuirait aux phénomènes de « croyance » et de connivence (encore
qu'une autre sorte de connivence puisse s'instituer au niveau de
l'énonciation dévoilée).

Dans le récit écrit, les marques de l'énonciation sont linguistiques. Elles renvoient à l'ici et maintenant du scripteur en train
de bâtir, écrire, raturer son texte. Elles indiquent les rapports de
l'écrivain aux signifiants (les mots dans leur substance phonique
et graphique, les techniques narratives, les structures) et aux
signifiés (système de valeurs, par ex.). Elles montrent que l'instance énonciatrice est à la fois narratrice et discursive. L'effacement de ces traces, c'est donc la mise à l'écart du « je » de
l'énonciation, son travestissement en personnage ou en « voix »
intemporelle, la prédominance de la fiction sur le discours et la
narration (par exemple dans la distribution des temps verbaux du
monde raconté et du monde commenté : voir 11.1.). Voir l'article *Enonciation* dans *Poétique/Pratique* de D. Delas, Cedic. Au
cinéma, l'un des principaux facteurs de l'effacement du procès
d'énonciation est le montage dit « transparent ». Le film en son
état final est constitué d'images collées (montées) les unes aux
autres ; le montage transparent a pour effet de gommer les collures (il opère des « sutures », selon le mot depuis peu consacré),
de telle sorte que le passage d'un plan à un autre se fasse sans à-
coup, insensiblement, « naturellement », sans rompre l'illusion
référentielle et la continuité narrative. La présence et la fonction
de la caméra (et de toute l'équipe de travail qui la fait fonctionner), les opérations de cadrage, recadrage, les mouvements
d'appareil, le montage-collage doivent être « oubliés » du specta-

teur afin que ne se rompe pas le contact avec l'univers diégétique qui fait l'objet de sa contemplation. A partir d'un matériau discontinu et hétérogène (quelques 350 plans tournés en un mois, des dialogues, de la musique) il s'agit de constituer un tout continu, homogène (un récit filmique). La recherche de l'homogénéité et de la continuité se traduit

— dans les décors, les costumes, l'aspect physique des acteurs dont les modifications éventuelles seront toujours diégétiquement motivées : la *script-girl* a pour fonction de dépister les oublis, erreurs et « faux raccords » (d'un plan l'autre d'une même séquence, mais tournés à quelques jours d'intervalle, les éléments doivent rester stables),

— dans le traitement de la lumière, des éclairages, de la couleur : une journée d'été tournée en plusieurs jours doit rester la « même » journée (voir les difficultés rencontrées par Renoir lors du tournage de sa *Partie de Campagne*) ; un mouvement de caméra ne doit pas donner lieu à de brusques changements d'éclairage ; les tonalités dominantes d'un film en couleurs doivent être maintenues ; etc.,

— dans le montage proprement dit : le passage d'un plan à l'autre sera autant que possible « motivé » (c'est-à-dire rendu plausible et nécessaire) par un élément diégétique, phrase de dialogue, regard, geste, déplacement d'un personnage (voir les raccords sur regard — plan de la personne qui regarde → plan de ce qu'elle regarde —, les raccords « dans le mouvement » à partir d'un geste ou d'un mouvement amorcé dans un plan et continué dans le suivant, selon des règles précises d'organisation de l'espace filmique). On peut citer nombre de situations diégétiques « standard » structurant le passage « naturel » d'un plan à un autre :

départ d'une voiture, d'un train, d'un ascenseur → arrivée à destination

entrée de personnage(s) dans un lieu (immeuble, boîte de nuit, banque, etc.) vue de l'extérieur → entrée dans le même lieu vue de l'intérieur

image d'un personnage qui téléphone → image de son interlocuteur.

Une phrase, un bruit motivent également le montage des plans :
A parle à B de C → plan de C

A entend des bruits de pas → plan du piéton.

Bien entendu, ces exemples sont indicatifs et les nécessités narratives commandent le montage. Quoiqu'il en soit, c'est une diégétisation généralisée du montage qu'implique l'euphorie narrative.

13. DYSNARRATION

Nous désignons par ce terme, à la suite d'Alain Robbe-Grillet, une opération de contestation volontaire du récit par lui-même. L'objectif de la dysnarration (ou des effets dysnarratifs) est de briser les diverses illusions du lecteur-spectateur :
— illusion réaliste et référentielle, du récit comme reflet du monde réel, reproduction de « ce qui arrive » ;
— illusion de la continuité, de la logique des causes et des effets, née d'une confusion entretenue entre consécution et conséquence (le récit traditionnel posant une sorte d'équivalence entre les processus de consécution — un événement vient après un autre — et les enchaînements de causes à effets — l'événement 2 est déterminé par l'événement I) ;
— illusion de la transparence, de la neutralité des récits qui n'auraient d'autre but que de rapporter et distraire.
Les procédés dysnarratifs se proposent
— de mettre en évidence l'arbitraire de tout récit et notamment le rôle organisateur du scripteur,
— de souligner l'aspect simplificateur ou réducteur du récit par rapport à la complexité des divers aspects de la réalité et, notamment d'indiquer le rôle fondamental des stéréotypes culturels et structurels,
— de sensibiliser au « travail narratif » qui s'exerce sur des signifiants (mots, schèmes, images, sons...) et des signifiés (faits, valeurs...), au lieu de le gommer.
En somme, la dysnarration substitue à un produit fini les éléments d'un produit en train de se faire. Elle instaure au cœur de la continuité des failles, des béances, des syncopes révélatrices d'un fonctionnement, critiques d'une idéologie. Pour autant, elle ne signifie pas un renoncement au récit, puisqu'elle raconte d'une autre manière des choses nouvelles (l'histoire de l'histoire,

la réalité de la réalité) sans renoncer vraiment aux structures narratives.

D'une façon générale, la dysnarration instaure des ruptures entre la fiction et la narration, dé-diégétisant cette dernière pour la ramener du côté de l'énonciation. Elle présente des aspects parodiques, voire burlesques.

Nous proposons un tableau de procédés et de procédures dysnarratifs, classés en référence à Hjelmslev (voir 6.4.).

	Récit écrit	**Récit filmique**
substance de l'expression	jeux sur la substance phonique ou graphique des signifiants verbaux, sur l'espace du livre ; mise en évidence de la matérialité textuelle [1]	mise en évidence de la matérialité du film (images et sons), du tournage, de la projection [2]
forme de l'expression	effets d'emphase ou de rupture des structures phrastiques et textuelles du récit [3]	montage non transparent, non suturé, absent ; non convergence de l'image et du son ; instabilité des signifiants (éclairages, couleurs) [4]

substance du contenu   arbitraire du choix des événements et des idées souligné ; stéréotypes (situations, personnages) accentués ; raréfaction ou prolifération excessive des actions [5]

forme du contenu   procédés déceptifs : absence de résolution de l'histoire (dénouement absent, pluriel, aléatoire ; impasses narratives ; répétitions, variations, contradictions, piétinements ; labyrinthes), discours non signifiant, sur-signifiant, insignifiant (mise à plat des valeurs, ironie, distance, contradictions idéologiques).

(1) Voir ch. 3. et 4. Lire Butor, Queneau, Claude Simon, Ricardou.

(2) « Présence » anormale de l'image (du grain de la photo, par ex.), du son (bruits couvrant les dialogues) : voir les films de Godard ; apparition dans le champ du matériel de tournage (perche-micro, chariot, caméra) ; représentation de la projection (arrêt du défilement de l'image, pellicule qui prend feu dans *Persona* de Bergman)...

(3) Phrases inachevées, hachées, non conformes aux normes de la syntaxe courante ; répétitions, contradictions, brouillages divers (par ex., même nom propre pour des personnages différents, passages du *je* au *il* non motivés, temps verbaux redistribués selon une logique « autre »...).

(4) Longs plans fixes, transgression des règles de raccords, texte verbal ou bruits en rupture ou contradiction avec l'image, trucages et effets spéciaux non diégétiques (ralenti, accéléré, flous, défilement inverse, image renversée, objectifs déformants, image en négatif : tous ces procédés manifestant aussi la matérialité filmique). Voir films de Godard, Robbe-Grillet, Chantal Ackerman, M. Duras...

(5) La dysnarration oscille entre le recours aux clichés (empruntés à la littérature, au cinéma, à la vie sociale : publicité, presse, télévision), et le refus du matériau fictionnel. Voir Robbe-Grillet (romans et films) pour la première tendance, C. Ackerman ou Philippe Garrel pour la seconde (toutefois l'œuvre de Garrel est peut-être plus non-narrative que dysnarrative).

Le cinéma étant historiquement beaucoup plus lié à la narrativité que l'écriture, les procédés dysnarratifs y sont plus perturbants, donc plus efficaces. Les adresses directes de l'écrivain au lecteur, par exemple, sont monnaie courante, de Diderot à San Antonio, et ne dérangent plus personne ; le regard d'un acteur vers la caméra, accompagné éventuellement d'une adresse verbale, fait encore sursauter le spectateur dans son fauteuil. C'est aussi que le lieu d'où on lit est plus flottant que celui d'où l'on voit un film (voir ch. 3.)*.

Par ailleurs, la tradition littéraire voit se développer presque toujours simultanément l'épanouissement des grands modes ou genres narratifs et leur parodie. L'institution et le public cinématographiques résistent à toute forme d'auto-critique, de déconstruction, de parodie, si bien que les éléments dysnarratifs restent

---

* Sur le « regard camera », voir (20), second article (*Les deux regards*).

marginaux, sporadiques ou s'intègrent à des genres reconnus (le burlesque, par exemple : voir les films de Woody Allen). Mais il faut remarquer aussi que la dysnarration se situant par rapport à un mode particulier de narration, ne vise pas le récit en soi et tend, au contraire, à constituer de nouveaux récits. Elle dénonce, certes, l'imposture de ce qui se donne pour évidence et vérité, mais elle propose de nouvelles représentations. Or le cinéma, pour des raisons d'ordre économique et organisationnel, mais peut-être aussi pour des raisons d'ordre sémiologique, se libère difficilement de la narration-représentation hollywoodienne classique (l'évolution affectant la substance et la forme du contenu ne suffisant évidemment pas à modifier fondamentalement les formes de la représentation). Cependant de nouveaux récits filmiques se frayent un chemin difficile, aux Etats-Unis, en Europe, au Japon : on ne peut que s'en réjouir, au moins pour le cinéma, c'est-à-dire pour les spectateurs.

RÉFÉRENCES BIBLIOGRAPHIQUES

Nous proposons ici un choix d'articles et d'ouvrages permettant d'approfondir certaines questions théoriques ou méthodologiques et d'inventer des exercices ou activités pratiques.

(1) Adam (J.M.) et Goldenstein (J.P.), *Linguistique et discours littéraire*, Larousse, coll. « L », 1976.

(2) Agel (H.), *Esthétique du cinéma*, P.U.F., « Que sais-je ? », 1966.

(3) Amengual (B.), *Clefs pour le cinéma*, Seghers, 1971.

(4) Bailblé (Cl.), Marie (M.), Ropars (M.C.), *Muriel — histoire d'une recherche*, éd. Galilée, 1974.

(5) Bakhtine (M.), *La poétique de Dostoievski*, Seuil, 1970.

(6) Barthes (R.), *L'effet de réel*, in (30), p. 84.

(7) Barthes (R.), *En sortant du cinéma*, in (32), p. 104.

(8) Barthes (R.), *Introduction à l'analyse structurale des récits*, in (29), p. 1.

(9) Barthes (R.), *Le plaisir du texte*, Seuil, 1973.

(10) Barthes (R.), *Sur la lecture*, in « Le français aujourd'hui » n° 32, janvier 1976.

(11) Barthes (R.), *S/Z*, Seuil, 1970 (et coll. « Points »).

(12) Baudry (J.L.), *Cinéma : effets idéologiques produits par l'appareil de base*, in « Cinéthique », n° 7-8, 1970.

(13) Bazin (A.), *Qu'est-ce que le cinéma ?*, 4 volumes, éd. du Cerf, « 7e Art ».

(14) Bellour (R.), *« Les oiseaux » de Hitchcock : analyse d'une séquence*, in « Cahiers du cinéma », n° 216, oct. 1969.

(15) Bellour (R.), *L'évidence et le code*, in (28) (sur 12 plans du Grand Sommeil).

(16) Bellour (R.), *Le blocage symbolique*, in (32) (sur *La mort aux trousses*).

(17) Benveniste (E.), *Problèmes de linguistique générale*, Gallimard, 1966.

(18) Benveniste (E.), Ibid., tome 2, Gallimard.

(19) Bergala (A.), *Initiation à la sémiologie du récit en images*. Les cahiers de l'audio-visuel, édités par la Ligue Française de l'Enseignement.

(20) Bonitzer (P.), *Voici (La notion de plan et le sujet du cinéma)*, in « Cahiers du cinéma », n° 273 et 275, janv.-fév. et avril 1977.

(21) Bouyxou (J.P.), *La science-fiction au cinéma*, U.G.E., coll. 10/18, 1971.

(22) Bremond (Cl.), *Logique du récit*, Seuil, 1973.

(23) Browne (N.), *Rhétorique du texte spéculaire*, in (32), p. 202.

(24) Brunius (J.B.), *Le rêve, l'inconscient, le merveilleux*, in « L'âge du cinéma », n° 4-5, août-nov. 1951.

(25) Burch (N.), *Praxis du cinéma*, Gallimard, 1969.

(26) Butor (M.), *Essais sur le roman*, Gallimard, coll. « Idées », 1960-1964.

(27) « Cahiers du cinéma », n° 185, spécial Noël 1966, *Film et roman : problèmes du récit*.

(28) *Cinéma : théories, lectures*, n° spécial de la « Revue d'Esthétique », Klincksieck, 1973.

« Communications », revue éditée par le Seuil :

(29) n° 8, 1966, *L'analyse structurale des récits*.

(30) n° 11, 1968, *Le vraisemblable*.

(31) n° 15, 1970, *L'analyse des images*.

(32) n° 23, 1975, *Psychanalyse et cinéma*.

(33) Comolli (J.L.), *Technique et idéologie*, in « Cahiers du cinéma », n° 229 (mai 71) ; 230 (juil. 71), 231 (août-sept. 71), 233 (nov. 71), 234-235 (déc. 71, janv.-fév. 72), 241 (sept.-oct. 72).

(34) Duchet (Cl.), *« La fille abandonnée » et « La bête humaine », éléments de titrologie romanesque*, in « Littérature », n° 12, déc. 1973, Larousse.

(35) Eisenstein (S.M.), *Le film : sa forme, son sens*, Ch. Bourgois, 1976.

(36) Faure (E.), *Fonction du cinéma*, Gonthier, coll. Médiations, 1953-1964.

(37) Ferro (M.), *Cinéma et Histoire*, Gonthier, coll. Médiations, 1977 (le cinéma, agent et source de l'histoire ; avec des analyses de films).

(38) Gauthier (Guy), *Initiation à la sémiologie de l'image*, n° hors-série de « La revue du cinéma » éditée par la Ligue Française de l'Enseignement et de l'Education Permanente, avec diapositives.

(39) Gauthier (Guy), *Villes Imaginaires*, Cedic, coll. « Textes et non-textes », 1977 (analyses de *Metropolis, THX 1138, Zardoz, L'âge de cristal*).

(40) Genette (G.), *Figures I*, Seuil, coll. « Points », 1966.

(41) Genette (G.), *Figures II*, Seuil, 1969.

(42) Genette (G.), *Figures III*, Seuil, 1972.

(43) Goldenstein (J.P.), *Point de vue et techniques narratives dans le roman*, in « Bref », n° 13, fév. 1978, « Romans... », Larousse.

(44) Groupe MU, *Rhétorique générale*, Larousse, 1970 (nombreux exemples empruntés au cinéma).

(45) Groupe MU, *Rhétoriques particulières*, in « Communications », n° 16, Seuil, 1970 (titres de films, p. 70).

(46) Halté (J.F.) et Petitjean (A.), *Pratiques du récit*, Cedic, coll. « Textes et non-textes », 1977.

(47) Hamon (Ph.), *Pour un statut sémiologique du personnage*, in « Littérature », n° 6, mai 1972, Larousse.

(48) Hamon (Ph.), *Qu'est-ce qu'une description ?*, in « Poétique », n° 12, Seuil, 1972.

(49) Hoek (Léo H.), *Description d'un archonte*, in (76).

(50) Idt (G.), *Petites recettes pour un atelier d'artisanat romanesque au lycée*, in « Littérature » n° 19, oct. 1975 (Enseigner le français), Larousse.

(51) Idt (G.), *Le roman*, in (94).

(52) Jakobson (R.), *Entretien sur le cinéma*, in (28).

(53) Jakobson (R.), *Essais de linguistique générale*, 1963, Seuil, coll. « Points ».

(54) Kuntzel (T.), *Le travail du film*, in « Communications », n° 19, Seuil, 1972 (sur *M.*, de F. Lang) ; autres articles du même auteur in (28) et (32), *Les chasses du comte Zaroff*.

(55) *Lectures du film*, ouvrage collectif par J. Collet, M. Marie, D. Percheron, J.P. Simon, M. Vernet, Albatros, 1975.

(56) Leprohon (P.), *Histoire du cinéma* (1895-1930), éditions du cerf, « 7ᵉ art », 1961.

(57) Leutrat (J.L.), *Le western*, A. Colin, « U prisme », 1973.

(58) Marie (M.), *Cinéma et théorie littéraire*, in « Pratiques », n° 18/19, fév.-mars 78.

(59) Martin (M.), *Le langage cinématographique*, éd. du cerf, « 7ᵉ art », 1955 ; réédité par Albatros.

(60) Mauriac (F.), *Le romancier et ses personnages*, 1933, Livre de poche.

(61) Metz (Ch.), *Essais sur la signification au cinéma*, tome I, Klincksieck, 1975.

(62) Metz (Ch.), *Essais sur la signification au cinéma*, tome 2, 1976.

(63) Metz (Ch.), *Langage et cinéma*, Larousse, 1971 ; réédité par Albatros.

(64) Metz (Ch.), *Problèmes de dénotation dans le film de fiction*, in (61).

(65) Metz (Ch.), *Problèmes actuels de théorie du cinéma*, in (28) et (62).

(66) Metz (Ch.), *Ponctuations et démarcations dans le film de diégèse*, in (62).

(67) Metz (Ch.), *Propositions méthodologiques pour l'analyse du film*, in (62).

(68) Metz (Ch.), *Remarques pour une phénoménologie du Narratif*, in (61).

(69) Metz (Ch.), *Le signifiant imaginaire*, U.G.E., coll. 10/18, 1977.

(70) Mitry (J.), *Esthétique et psychologie du cinéma*, éd. Universitaires, 2 volumes, 1963 et 1965.

(71) Monod (R.), *Les textes de théâtre*, Cedic, coll. « Textes et non-textes », 1977.

(72) Montcoffe (F.), *Le cinéma*, in (94).

(73) Morin (E.), *Le cinéma ou l'homme imaginaire*, éd. de Minuit, 1956.

(74) Morin (E.), *Les stars*, Seuil, coll. « Points », 1972.

(75) Noguez (D.), *Le cinéma, autrement*, U.G.E., coll. 10/18, 1977 (nombreuses analyses, avec un index).

Nouveau Roman : hier, aujourd'hui, colloque de Cerisy-la-Salle, juillet 1971 ;

(76) 1. Problèmes généraux.

(77) 2. Pratiques. U.G.E., coll. 10/18.

(78) Odin (R.), *Dix années d'analyses textuelles du film*, Lyon, Centre de recherche linguistique et sémiotique, 1977, ronéoté.

(79) Patillon (M.), *Précis d'analyse littéraire* (les structures de la fiction), Nathan, coll. « N », 1974.

(80) Percheron (D.), *Focalisation*, in (55).

(81) Percheron (D.), *Séquence*, in (55).

(82) *Poétique du récit*, ouvrage collectif reprenant des études de Barthes, Hamon, Kayser et Booth.

(83) « Pratiques », n° 11/12 (nov. 76), 14 (mars 77), sur le récit ; 18/19 (fév.-mars 78), sur l'image.

(84) Prédal (R.), *Le cinéma fantastique*, Seghers, 1970.

(85) Prédal (R.), *La société française à travers le cinéma* (1914-1945), A. Colin, coll. U2, 1972 (des analyses et des extraits de scripts et de découpages).

(86) Propp (V.), *Morphologie du conte*, 1928, Seuil, coll. « Points ».

(87) *Regards neufs sur le cinéma*, ouvrage collectif réalisé par J. Chevalier, Seuil, coll. « Peuple et culture », 1953 (des textes de cinéastes — de Méliès à Bresson —, des analyses détaillées de films, des documents).

(88) Ricardou (J.), *Problèmes du nouveau roman*, Seuil, 1967.

(89) Ricardou (J.), *Le nouveau roman*, Seuil, « écrivains de toujours », 1973.

(90) Ricardou (J.), *Ecrire en classe*, in « Pratiques », n° 20, juin 1978.

(91) Rieupeyrout (J.L.), *La grande aventure du western : du Far West à Hollywood*, (1894-1963), éd. du Cerf, 1964.

(92) Rode (H.), *Les stars du cinéma érotique*, P.A.C., 1976.

(93) Rohmer (E.), *L'organisation de l'espace dans le « Faust » de Murnau*, U.G.E., coll. 10/18, 1977.

(94) *Le roman, le récit non romanesque, le cinéma*, Nathan, coll. « Littérature et langages », 1975 ; voir Idt et Montcoffe.

(95) Ropars (M.C.), *De la littérature au cinéma*, A. Colin, coll. U2, 1970.

(96) Ropars (M.C.), *Narration et signification*, in « Poétique », n° 12, Seuil, 1972 (sur *Citizen Kane*).

(97) Ropars (M.C.) et Sorlin (P.), *Octobre* (écriture et idéologie), Albatros, 1976 (analyse filmique d'*Octobre* d'Eisenstein).

(98) Rousset (J.), *Forme et signification*, José Corti, 1962.

(99) Sadoul (G.), *Histoire du cinéma mondial des origines à nos jours*, Flammarion, 1949.

(100) Sadoul (G.), *Dictionnaire des cinéastes*, Seuil, « Microcosme », 1965.

(101) Sadoul (G.), *Dictionnaire des films*, Seuil, « Microcosme », 1965.

(102) Sorlin (P.), *Sociologie du cinéma*, Aubier-Montaigne, 1977.

(103) Todorov (T.), *Les catégories du récit littéraire*, in (29).

(104) Truffaut (F.), *Le cinéma selon Hitchcock*, Robert Laffont, 1966 ; réédité à « Cinéma 2000 », Seghers.

(105) *Univers filmique* (l'), ouvrage collectif présenté par Etienne Souriau, Flammarion, 1953.

(106) Valéry (P.), *Tel Quel*, Gallimard, coll. « Idées ».

(107) Van Rossum-Guyon (F.), *Point de vue ou perspective narrative*, in « Poétique » n° 4, 1970.

(108) Vernet (M.), *Codes non spécifiques*, in (55).

(109) Vernet (M.), *Genre*, in (55).

(110) Weinrich (H.), *Le temps*, Seuil, 1973.

(111) *Western* (le), ouvrage collectif réalisé sous la direction de R. Bellour, U.G.E., coll. 10/18, 1966.

BIBLIOGRAPHIE COMPLÉMENTAIRE

Adam (Jean-Michel), *Le texte narratif*, Paris, Nathan-Université, 1985.

Adam (Jean-Michel) et Petitjean (André), *Le texte descriptif*, Paris, Nathan-Université, 1989.

Aumont (Jacques), *Montage Eisenstein*, Paris, Albatros, 1979.

Aumont (Jacques), Bergala (Alain), Marie (Michel), Vernet (Marc), *Esthétique du film*, Nathan-Université, Paris, 1988.

Aumont (Jacques) et Leutrat (Jean-Louis) (sous la direction de), *Théorie du film*, Paris, Albatros, 1980.

Aumont (Jacques) et Marie (Michel), *L'analyse des films*, Paris, Nathan-Université, 1988.

Bellour (Raymond), *L'analyse du film*, Paris, Albatros, 1979.

Chion (Michel), *La voix au cinéma*, Paris, Cahiers du Cinéma-Éditions de l'Étoile, 1982.

Chion (Michel), *Le son au cinéma*, même éditeur, 1985.

Chion (Michel), *Écrire un scénario*, Paris, INA-Cahiers du Cinéma, 1985.

Chion (Michel), *La toile trouée* (La parole au cinéma), Les Cahiers du Cinéma, 1988.

Douchet (Jean), *Alfred Hitchcock*, Paris, L'Herne-Cinéma, 1967, réédité en 1987.

Gaudreault (André), *Du littéraire au filmique*, Paris, Méridiens-Klincksieck, 1988.

Goldenstein (Jean-Pierre), *Pour lire le roman*, Duculot, Jost (François), *L'œil-caméra*, Presses Universitaires de Lyon, 1987.

Verrier (Jean), *Les débuts de roman*, Bertrand-Lacoste, 1988.

Revues

Cinémaction : n° 23 (« Idéologies du montage », par Alain Weber), n° 45 (« L'enseignement du cinéma et de l'audiovisuel », dirigé par Monique Martineau), n° 47 (« Les théories du cinéma aujourd'hui », dirigé par Jacques Kermabon), n° 50 (« Cinéma et Psychanalyse », dirigé par Alain Dhote). Édité par L'Harmattan ou Cerf-Corlet.

Communications : n° 38 (« Énonciation et Cinéma »), Seuil, 1983.

Le Français aujourd'hui : n° 71 (« Dialoguer : de la conversation au texte », septembre 1985), n° 76 (« Imaginaires », décembre 1986), n° 79 (Classes de textes/Textes en classe », septembre 1987). 19, rue des Martyrs, 75009 Paris.

Hors-cadre : n° 2 (« Cinénarrable », 1984), n° 3 (« Voir off », 1985), n° 5 (« L'École-Cinéma », 1987). Presses Universitaires de Vincennes.

Iris : Vol.3, n° I (« La parole au cinéma », 1985), n° 7 (« Cinéma et narration I », 1986), n° 8 (« Cinéma et narration 2 », 1988). c/o Marc Vernet, 17, rue Vitruve, 75020 Paris.

Pratiques : n° 50 (« Les paralittératures », juin 86), n° 54 (« Mauvais genres », juin 87), n° 55 (« Les textes descriptifs », septembre 87), n° 59 (« Les genres du récit », septembre 88), n° 60 (« Le personnage », décembre 88). 8, rue du Patural, 57000 Metz.

Vertigo : n° 1 (« Le cinéma au miroir », 1987), n° 2 (« Lettres de cinéma », 1988). 99, rue Notre-Dame des Champs, 75006 Paris.

LISTES DES ŒUVRES
FAISANT L'OBJET D'UNE ANALYSE PARTIELLE

Récits littéraires

Balzac (Honoré de), *La cousine Bette*, livre de poche.

Balzac (Honoré de), *La peau de chagrin*, livre de poche.

Cendrars (Blaise), *Moravagine*, Grasset, « Les cahiers rouges ».

Diderot, *Jacques le Fataliste*, livre de poche.

Giono (Jean), *Le moulin de Pologne*, Gallimard.

Hammet (Dashiel), *La clé de verre*, livre de poche.

Hugo (Victor), *Quatre-vingt-treize*, livre de poche.

Huysmans (J.K.), *A. Rebours*, U.G.E. 10/18.

Laclos (Choderlos de), *Les liaisons dangereuses*, livre de poche.

Maupassant (Guy de), *Le Horla*, livre de poche.

Maupassant (Guy de), *Une partie de campagne*, in *La maison Tellier* , livre de poche.

Maupassant (Guy de), *L'ermite, Mademoiselle Perle, Le père Amable, La petite Roque, Rosalie Prudent*, in *La petite Roque*, livre de poche.

Pinget (Robert), *L'inquisitoire*, Éditions de Minuit/UG.E. 10/18.

Robbe-Grillet (Alain), *La jalousie*, Éditions de Minuit.

Roché (Henri-Pierre), *Jules et Jim*, livre de poche.

Simon (Claude), *Histoire*, Éditons de Minuit.

Stendhal, *La Chartreuse de Parme*, livre de poche.

Zola (Émile), *La bête humaine*, livre de poche.

Récits cinématographiques

Allio (René), *Les camisards*, « L'Avant-Scène » n° 122, fév. 1972.

Altman (Robert), *Nashville*.

Altman (Robert). *Buffalo Bill*, pas de transcription.

Autant-Lara (Claude), *Le diable au corps*, Lherminier, 1984.

Bergman (Ingmar), *Cris et chuchotements*, « L'Avant-Scène » n° 142, déc. 1973.

Bunuel (Luis), *Le charme discret de la bourgeoisie*, « L'Avant-Scène » n° 135, avr. 1973.

Carné (Marcel), *Le jour se lève*.

Daves (Delmer), *Les passagers de la nuit (Dark passage)*, pas de transcription.

Deville (Michel), *Le dossier 51*, L'Avant-Scène » n° 218, déc. 1978.

Hitchcock (Alfred), *Psychose (Psycho)*, continuité photographique et dialogues en anglais publiés dans la collection « The film classics Library », Pan Books LTD, London, 1974.

Mankiewicz (Joseph), *La comtesse aux pieds nus (The barefoot comtessa)* « L'Avant-Scène » n° 68, mars 1967.

Murnau, *Nosferatu le vampire*.

Pialat (Maurice), *Passe ton bac d'abord*, non transcrit.

Renoir (Jean), *Une partie de campagne*, « L'Avant-Scène » n° 21, déc. 1962.

Renoir (Jean), *La règle du jeu*, « L'Avant-Scène » n° 52.

Sternberg (Josef von), *Agent X 27 (Dishonored)*, non transcrit.

Truffaut (François), *Jules et Jim*, coll. « Points-films », Seuil.

Truffaut (François), *Une belle fille comme moi*, non transcrit.

Vigo (Jean), *Zéro de conduite*, « L'Avant-Scène » n° 21, déc. 1962.

Wiene (Robert), *Le cabinet du Dr Caligari*.

Quelques termes techniques

Accéléré. Effet spécial obtenu en projetant à vitesse normale des images prises à vitesse inférieure (voir *Nosferatu*).

Alterné (montage). Images montées de façon à montrer alternativement des actions qui se déroulent simultanément (voir *Nosferatu*).

Angle de prise de vue. Détermine le champ visuel enregistré par la caméra. Varie en fonction de la place de la caméra par rapport à l'objet filmé et de l'objectif (ouverture et distance focale) utilisé.

A-synchronisme. Décalage entre l'image et le son. Produit des effets de contrepoint (musique/image, voix off/image, bruits/image, etc.).

Cache. Feuille opaque de forme variable interposée entre l'objectif et la pellicule et réduisant ainsi le champ visuel.

Cadrage. Choix de l'angle de prise de vue, de l'échelle du plan, de l'organisation des objets et des personnages dans le champ, de l'évolution éventuelle de ces éléments au cours de la prise (mouvements d'appareil, mouvements des acteurs, etc.).

Champ. Portion d'espace couverte par la caméra et visible sur l'écran.

Contre-champ. Portion d'espace diamétralement opposée au champ (Ex. : champ : plan d'un homme qui regarde face à la caméra ; contre-champ : plan de ce qu'il regarde).

Continuité. Description de chaque scène du scénario avec dialogues.

Cut. Montage « cut » ou coupe franche. Passage « sec » d'un plan au suivant, sans effet optique.

Découpage. Division du film en séquences, voire plans (découpage technique).

Diégèse, Diégétique. « Tout ce qui appartient à l'histoire racontée, au monde supposé ou proposé par la fiction du film ». E. Souriau (105).

Effets spéciaux. Trucages divers permettant d'obtenir des effets insolites, fantastiques (homme invisible), spectaculaires (monstres, tempête) ou même réalistes, mais réalisés en studio (transparences).

Flash. Plan très bref.

Flash-back. Retour en arrière.

Flash-forward. Bond temporel vers le futur.

Fondu au noir. L'image s'obscurcit progressivement jusqu'au noir, puis l'image suivante apparaît.

Fondu-enchaîné. Une image se substitue progressivement à une autre par surimpression.

Iris. Diaphragme en iris situé devant l'objectif et permettant son ouverture et sa fermeture progressive. (Voir *Caligari*).

Mixage. Mélange et dosage des bandes « parole », « musique » et « bruits ».

Montage. Assemblage par coupes et collures des plans obtenus lors des prises de vue, selon les directives du découpage.

Off. Tout ce qui est situé « hors champ » (sonore : voix ou musique ou bruit « off » ; spatial : tout ce qui est supposé déborder le cadre de l'écran).

Panoramique. Mouvement de la caméra pivotant horizontalement ou verticalement sur l'un de ses axes, le « pied » restant immobile.

Photogramme. La pellicule impressionnée est constituée de photogrammes (instantanés qui défilent, à la projection, au rythme de 24 images/seconde).

Plan. A la prise de vue : portion de film impressionnée entre un déclenchement du « moteur » et l'interruption consécutive. Après montage : portion de film comprise entre deux collures.

Plans (Echelle des). *Plan général ou de grand ensemble :* personnages lointains dans un vaste espace.
Plan d'ensemble : espace large (rue, hall), personnages identifiables.
Plan moyen : personnages cadrés en pied.
Plan américain : personnages cadrés à mi-cuisse.
Plan rapproché : personnages cadrés à la ceinture.
Gros plan : personnage cadré au visage.
Très gros plan : isole un détail (partie du visage, objet, etc.).
Un mouvement d'appareil ou un effet optique peut faire passer, dans le même plan, du grand ensemble au très gros plan. Par ailleurs, cette classification est indicative : tous les cadrages intermédiaires sont possibles (personnage cadré aux épaules, par ex.) ;

les repères sont relatifs (qu'est-ce qu'un gros plan en cinémascope ?).

Profondeur de champ. Permet d'obtenir une image aussi nette au premier plan qu'à l'arrière-plan.

Ralenti. Effet spécial obtenu en projetant à vitesse normale des images prises à vitesse supérieure (voir *Zéro de conduite*).

Transparence. Effet produit en tournant une scène censée se dérouler en extérieurs devant un écran de verre dépoli sur lequel sont projetées des vues d'extérieurs.

Travelling. Mouvement de la caméra déplacée sur un véhicule (chariot sur rails, automobile, voiture d'enfant) ou à la main. On distingue les travellings avant, arrière, latéraux.

Volet. Effet de balayage ou de « rideau » d'un plan par le suivant, généralement de gauche à droite.

Zoom. Objectif à focale variable permettant d'obtenir des effets de travelling (dit « optique ») sans bouger la caméra.

TABLE DES MATIÈRES

Aubin Imprimeur
LIGUGÉ, POITIERS

IMPRESSION – FINITION

Achevé d'imprimer en août 1991
N° d'édition 10005886 (2) 3 (o a b) 80°
N° d'impression L 38468
Dépôt légal août 1991
Imprimé en France